Ruby でつくる Ruby

ゼロから学びなおすプログラミング言語入門

遠藤侑介

Learning Ruby by Making Ruby

by
Yusuke Endoh

はじめに

ちょっと変わったプログラミング言語の入門へようこそ。本書は、プログラミング言語「Ruby」の入門書です。初めてプログラミング言語に触れる人や、プログラミング言語を学びたい人のために書かれたWeb上の連載記事「Rubyで学ぶRuby」[†1]を再編集した書籍です。

本書のコンセプトは「RubyでRubyを作りながらRubyを学ぼう」です。何を言っているのかよくわからないと思うので、この場を借りて少し説明をします。「プログラム」とは、コンピュータにやらせたい仕事のやりかたを書いた命令書です。そして「プログラミング言語」とは、その命令書を書くための言葉です。しかし、「プログラムそのもの」は単なる「文字列」です。そのため、プログラミング言語で書かれたプログラム、すなわち「命令書」を、コンピュータが解釈して実行するためには、別のプログラムが必要なのです。このプログラムを「インタプリタ」と呼びます。本書は、Rubyというプログラミング言語を使って、Rubyのインタプリタ、つまり「Rubyで書かれた命令書をコンピュータに実行させるプログラム」を作り、これを通してRubyでのプログラミングを学んでいこう、というものです。まさに「RubyでRubyを作りながらRubyを学ぼう」を目指しているのです（より正確に言うと、Rubyは実用性のために非常に多数の言語機能を持っていて大変なので、Rubyの中で特に重要な言語機能だけを抽出した言語MinRubyを使ってMinRubyのインタプリタを作ります）。

本書は、2つの対象読者を想定しています。1つは、「プログラミングを学びたい初心者」の皆さんです。プログラミングを学びたいのであれば、まずは「プログラミング言語」とは何かを知り、プログラムがどうやって動いているのか、その挙動を知ることが重要です。そこで本書は、プログラムを動かしているプログラム「インタプリタ」という最良の教材を使うことで、プログラミングというものを外からも内からも理解していけるような内容になっています。また、自分で書いたプログラムを一度も動かしたことがない人でも読めるよう、説明順序や説明方法をかなり工夫して書いたつもりです。もう1つの対象読者は、「プログラミング言語の実装を学びたいRubyist」

---

†1 2016年9月～2017年1月までASCII.jpに掲載（http://ascii.jp/elem/000/001/230/1230449/）。

です。ふつうにRubyでプログラミングをしているだけだと、プログラミング言語そのもの、特にその実装について、深く知る機会は少ないはずです。本書では、配列を使って「木」を表現したり、その木を操作する道具として関数を導入したりします。慣れ親しんでいたつもりの機能が持つ、それまで知らなかった側面に触れることで、プログラミング言語そのものについて深く知る絶好の機会になるはずです。

本書で扱わない内容も説明しておきます。まず、Webやテキスト処理など、Rubyの本来の得意分野については、すでに多数の参考書があるので触れません。また、構文解析（プログラム文字列を木に変換する処理）については、筆者があらかじめ作成した構文解析ライブラリをそのまま使うだけで、その実装は説明しません。構文解析の知識は自作言語を作るためには必須で、通常のプログラミング言語処理系の教科書であれば最初に説明される内容です。しかし本書はあくまで「プログラミングを学ぶ教材」としてRubyインタプリタを用いるので、構文解析より先のインタプリタのコア部分にフォーカスを当てます。ただ、自作言語を作りたいという野望を持っている人にとっても、その第一歩として興味深い内容になっていると自負しています。

Rubyについて必要最小限の言語機能の説明から始まる本書は、「木」というデータ構造のあやつり方を経て、ものすごく簡単な（四則演算しかサポートしない）インタプリタの実装を土台に、徐々に機能拡張していき、最終的には「ブートストラップインタプリタ」、すなわち、プログラミング言語Xを使ってその言語Xのインタプリタを書くところまで到達します。

本当に初心者の人にとっては、最初は難しくてつまらないと感じるかもしれません。最初から楽しくプログラミングができる人はわずかです。最初は楽しくなくてもいいので、とにかく最後まで手を動かしながら読み終えてみましょう。

Rubyをある程度知っている人にとっては、逆に、最初は簡単すぎると思うかもしれません。しかし、基本的な言語機能であっても、それを自分で実装するには、一段深い理解が必要です。自分が書いたRubyインタプリタが、自分が書いたRubyインタプリタの上で動く……。本書の内容を終えたとき、プログラミング言語の本質をひととおり抑えたという感動や達成感が得られることでしょう。

というわけで「RubyでRubyを作りながらRubyを学ぼう」というこの本、楽しんでいただけたら幸いです。

謝辞

本書のカバー、表紙などの装丁デザインと本文の挿絵は、hirekokeさんにすべてやっていただきました。特に挿絵は、抽象的な説明になりがちな内容のうまい可視化と独特の世界観の両方をもたらす、素敵な絵になっていると思います。hirekokeさんは、拙著『あなたの知らない超絶技巧プログラミングの世界』（技術評論社、2015年）の挿絵も描いてくれています。

本文の編集は、『型システム入門 プログラミング言語と型の理論』（共訳、オーム社、2013年）の際にもお世話になった、ラムダノート株式会社の鹿野桂一郎さんと高尾智絵さんにやっていただきました。日本語としての読みやすさに加え、バグも見つけて直してくれるのでとても助かりました。

最後になりましたが、この企画が日の目を見る機会をくださったASCII.jpの皆さんと、連載時の読者の皆さん、そして、いまこの本を手にとってくださっている読者の皆さんにも感謝いたします。ありがとうございました。

遠藤侑介
2017年3月

目次

第1章

Ruby超入門

by Ruby by Ruby by Ruby by Ruby by Ruby by Ruby by Ruby by Ruby by Ruby by

これから学んでいくRubyは、**プログラミング言語**です。プログラミング言語とは、コンピュータにやらせたい仕事を書くための言語です。つまり、Rubyを覚えて、Rubyでコンピュータへの指示を書けば、コンピュータがその指示を実行してくれます。この指示書のことを**プログラム**といい、特にRubyで書かれたプログラムを**Rubyプログラム**といいます。

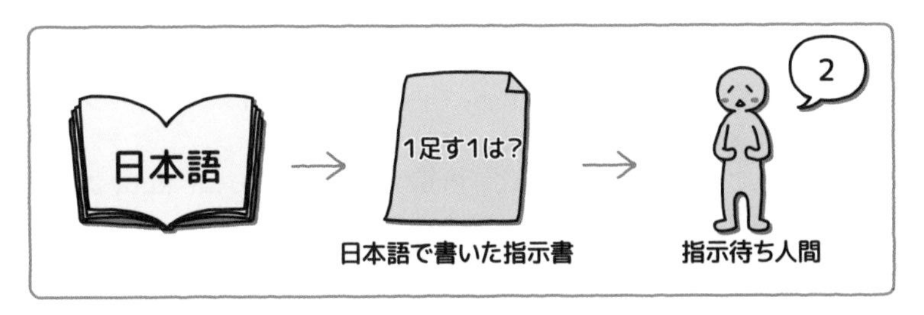

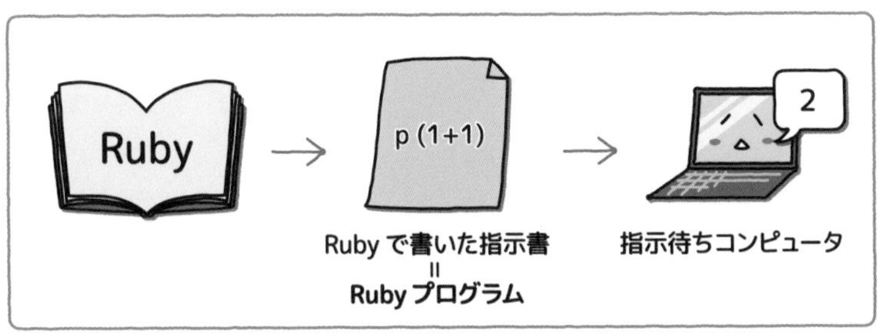

▶図1.1　日本語とプログラミング言語の関係の図

この章では、Rubyプログラムを書くために必要な道具をコンピュータに用意し、とりあえず使ってみるところから始めましょう。

1.1 RubyでRubyを作ろう

Rubyは、コンピュータにやらせたいことをなんでも書けるように作られているプログラミング言語です。およそどんなプログラムでもRubyで作れます[†1]。

では、これからプログラミングを学ぼうというとき、どのようなプログラムから作ってみればいいでしょう？ あらゆるプログラムをRubyで作れるとはいえ、初めてプログラムを作るとなったら、いったいコンピュータに何をさせればいいのか、題材を選ぶだけでも戸惑ってしまいますよね。

この本で、初めてのプログラミングの題材として選んだのは、**Rubyそのもの**です。**RubyそのものをRubyで作りながら、Rubyとプログラミング言語について学んでいきます。**

何やら難しそうに聞こえるかもしれませんが、段階をふんで実装していけば意外なほど簡単です。それに、「Rubyを学びたい」と思っている読者が最初に手掛けるプログラミングとして、Rubyそのもの以上の題材はないでしょう。

■ 作るのはRubyインタプリタ

本章の冒頭では、Rubyは**プログラミング言語**であると言いました。しかし、いまからRubyで作ろうとしているRubyは**プログラム**であって、プログラミング言語ではありません。

これからRubyで作ろうとしているRubyそのものは、正確には**Rubyインタプリタ**といいます。インタプリタとは、「通訳」という意味の単語で、「プログラムを実行するプログラム」のことです。したがって、Rubyインタプリタとは、**Rubyプログラムを実行するプログラム**ということになります。

実を言うと、現代のコンピュータは、人間がRubyプログラムを書いて仕事を指示しても、その指示をそのままでは理解できません。Rubyインタプリタが、人間が書いたRubyプログラムを解釈し、コンピュータに仕事をさせています。コンピュータは、Rubyインタプリタを介して、間接的にRubyプログラムを実行しているのです(図1.2)。

---

†1　プログラミング言語の中には、特別な目的のプログラムを作ることに特化している言語もありますが、Rubyはそういう言語ではありません。

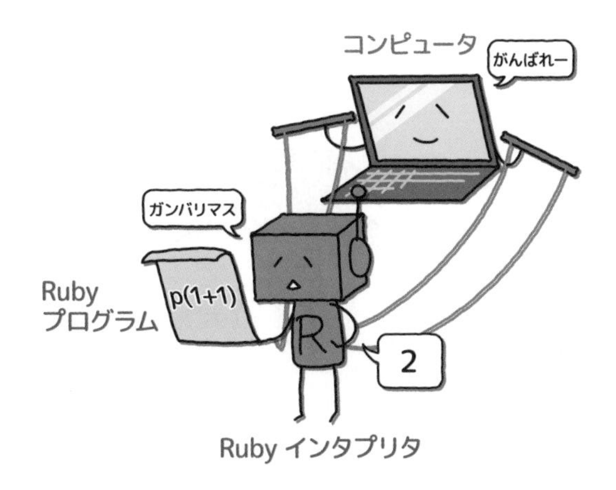

▶ 図1.2　RubyインタプリタがRubyプログラムを解釈して実行する

この本の最終目標は、この**Rubyインタプリタ**をRubyプログラムとして書いてみることです（図1.3）。とはいえ、Rubyインタプリタに備わっている機能を全部作るのは無茶なので、Rubyの部分集合となる言語を実行できる最小限の機能だけを持ったRubyインタプリタを作ります。この最小限のRubyのことを**MinRuby**（ミニマル、最小のRuby）と呼ぶことにします[†2]。

NOTE

少し紛らわしいですが、Rubyインタプリタのことを単に「Ruby」と呼ぶこともあります。実際、本節の冒頭でも、「RubyそのものをRubyで作る」という言い方をしていました。
単に「Ruby」と言われたときに、言語とインタプリタのどちらを指しているかは、通常は文脈から判断できます。以降は、原則として、言語のほうは「Ruby」または「Ruby言語」と呼び、インタプリタのほうは「Rubyインタプリタ」と呼ぶことにします。

1.2 Rubyインタプリタの準備

コンピュータでRubyプログラムを動かすためには、Rubyインタプリタが必要です。これから作っていくMinRubyインタプリタもRubyプログラムなので、Rubyインタプリタがインストールされていなければコンピュータで動かせません。そこで、まずはRubyプログラムを自分のコンピュータで実行できるように、Rubyインタプリ

[†2] MinRubyという名前は、OCamlというプログラミング言語における同様のサブセット言語MinCamlにインスパイアされて名付けました。

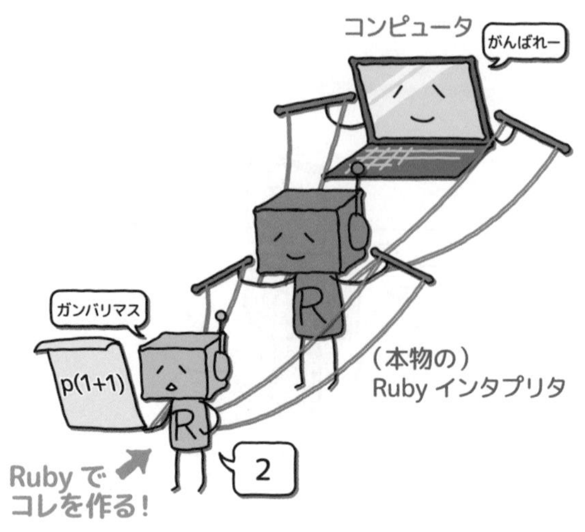

▶図1.3　Rubyで書かれたRubyインタプリタがRubyプログラムを実行

タをインストールしましょう[†3]。

NOTE

最初のうちは簡単なプログラムしか出てこないので、解説を読むだけでも「プログラムの雰囲気」はわかると思います。しかし、だんだんプログラムが複雑になるにつれ、わかったつもりでも意外なところが理解できていなかったり、そもそも解説で何を言っているのかわからなくなってきたりします。なんとかがんばってRubyインタプリタをインストールし、出てくるRubyプログラムを入力して、実際にコンピュータで動かしながら読み進めてください。

■ macOSの場合

macOSだったら、特別な事情がない限り、すでにRubyインタプリタがインストールされて実行できるはずです。試しにターミナルを開いて「`ruby -v`」とコマンドを実行してみてください。図1.4のような表示が出るはずです。

---

†3　『たのしいRuby 第5版』(高橋征義・後藤裕蔵著, まつもとゆきひろ監修, 2016年2月, ソフトバンククリエイティブ)などの優れた解説書やRubyの公式Webサイト(`https://www.ruby-lang.org/ja/documentation/installation/`)も参考にしてください。

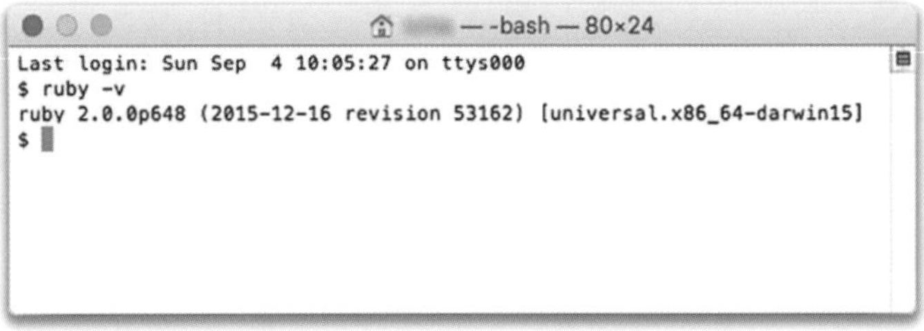

— -bash — 80×24
Last login: Sun Sep 4 10:05:27 on ttys000
$ ruby -v
ruby 2.0.0p648 (2015-12-16 revision 53162) [universal.x86_64-darwin15]
$

▶ 図1.4　ターミナルでruby -vした図

■ Windowsの場合

Windowsでは自分でRubyインタプリタをインストールするしかありません。RubyInstallerというアプリケーションをインストールするのがいちばん簡単でしょう[†4]。RubyInstallerをインストールすると、スタートメニューのどこかに「Rubyコマンドプロンプトを開く」というメニューができているはずです。これを起動すると、黒い画面のコマンドプロンプトのウィンドウが立ち上がります。このコマンドプロンプトでrubyコマンドをこんなふうに実行できます。

Ruby コマンドプロンプトを開く
C:¥Ruby23-x64>ruby -v
ruby 2.3.1p112 (2016-04-26 revision 54768) [x64-mingw32]
C:¥Ruby23-x64>

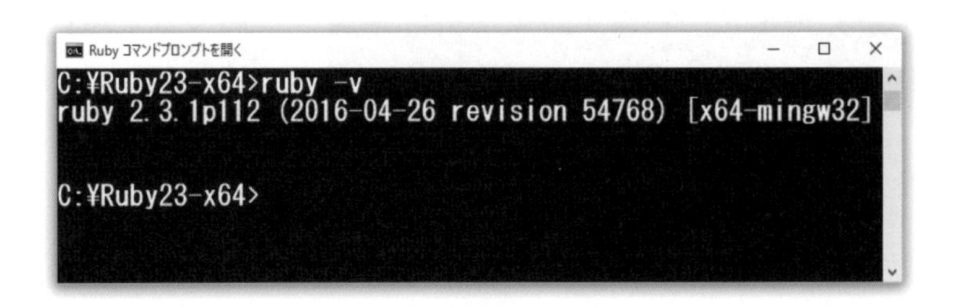

▶ 図1.5　コマンドプロンプトでruby -vした図

これでRubyインタプリタのインストールはおしまいです。

1.3 Rubyプログラムの書き方と実行の仕方

これからプログラミングに挑戦する人のために、「プログラムを書いて、それを実行する」ときの手順を説明します。ただし、「プログラムを書いて、それを実行する」ための仕組みを自分で作ろうというのが本書の最終目的です。そのため、プログラミングができるつもりの人も読んでおいてください。

まず「プログラムを書いて」の部分ですが、これにはテキストエディタを使います。Wordのような文書作成ソフトではなく、なんでもいいのでテキストエディタを

[†4] https://rubyinstaller.org/

開き、そこにプログラムの文字列を打ち込んでから、名前を付けてファイルとして保存します。

次に「実行する」の部分ですが、これに使うのが前の節でインストールしたrubyコマンドです。ターミナル（コマンドプロンプト）を開き、入力したプログラムを保存したファイル名を指定してrubyコマンドを起動します。これで、自分がそのファイルに入力したプログラムが「実行」されます。

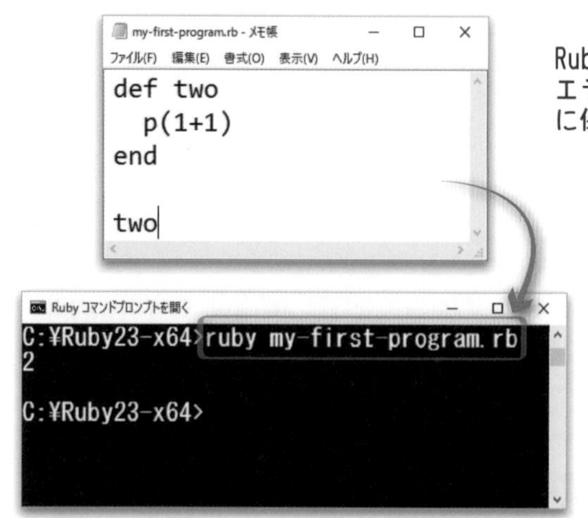

▶図1.6　プログラミングの流れ

このように、

1. テキストエディタでプログラムを書いて
2. それを名前を付けてファイルに保存し
3. ターミナルやコマンドプロンプトを開いて
4. そのファイルの名前を指定してrubyコマンドを起動する

というのがプログラミングの大まかな流れです。

このとき注意が必要なのは、上記の手順2で自分が書いたプログラムのファイルを保存する場所と、上記の手順4でrubyコマンドを起動する場所の違いです。ターミナルやコマンドプロンプトを使い慣れていないと、ちょっとわかりにくい話なので、少しかみくだいて説明します。

■ プログラムの保存場所と、プログラムを実行する場所

マウスでフォルダの絵をクリック（もしくはダブルクリック）すると、フォルダの中身が表示されて、「そのフォルダにいる」ような感じがしますよね。そして、そのフォルダの中にあるファイルをクリックして開いたり、実行したり、削除したりでき

ます。

ターミナルやコマンドプロンプトで ruby コマンドを起動するときも、実はこの、「どこかのフォルダの中にいる」という状態にあります。そのフォルダの中に、自分が書いたプログラムのファイルが保存されていれば、そのファイル名を指定して ruby コマンドを起動できます。そのフォルダに存在しないファイルに保存していたら、ファイルの名前だけでなく、そのファイルがある場所も一緒に示してあげないとなりません。

そこで、この本では、「自分が書いたプログラムは、常に ruby コマンドを起動する場所と同じ場所にある」ということにしましょう。

たとえば、Windows 10 にインストールした RubyInstaller の場合、［Ruby コマンドプロンプトを開く］メニューを実行すると、「C:¥Users¥ユーザ名」というフォルダにいる状態でコマンドプロンプトが立ち上がります。ここに、自分がこれから書くプログラムをファイルとして保存してください。

macOS の場合も、事情はだいたい同じです。通常、ターミナルを立ち上げたときにいる場所はホームフォルダだと思うので、そこに書いたプログラムを保存しておけば、ruby コマンドにファイル名を指定するだけで実行できます。

ターミナルやコマンドプロンプトにある程度慣れている人は、プログラムを保存する場所を作っておき、そこに移動してから ruby コマンドを起動してもいいでしょう。たとえば、myruby というフォルダに自分が書いたプログラムを保存しているなら、こんなふうにしてターミナルやコマンドプロンプト上でそのフォルダに移動してください。

```
$ cd myruby ⏎
```

以上で最低限の準備は終わりです。いよいよ本当に Ruby プログラムを書いてみましょう。

1.4　最初のプログラム（1＋1＝？）

まず書いてみるのは、足し算をして結果を表示するだけの簡単なプログラムです。「1+1」という足し算をして結果を表示する Ruby プログラムを書いてみましょう。テキストエディタを開いて、次のように入力してください。これは、「1 と 1 を計算し、その結果を出力せよ」という意味の立派な Ruby プログラムです。

```
1  p(1 + 1)
```

NOTE

この本では、プログラムが書かれたファイルの内容を示すとき、各行の先頭に行数を表す数字を小さな文字で付記しています。この先頭の数字は、プログラムの一部ではないので、テキストエディタでプログラムを入力するときには含めないようにしてください。

pというのは「出力せよ」という命令です。このプログラムでは、このp命令に、1 + 1という計算式を渡しています。命令に渡すものを示すために、丸かっこ「()」を使っています。

このプログラムをファイルに保存しましょう。保存するときのファイル名はtwo.rbとします[†5]。そして次のようにrubyコマンドを実行してみてください。

```
$ ruby two.rb ↵
2
```

こんなふうに画面に2という結果が表示されたでしょうか？

せっかくなので、1 + 1のところを他の数式に置き換えたり、2 + 2に置き換えたりしてみましょう。そして再び、上記と同じように、ターミナルやコマンドプロンプトでrubyコマンドを実行してください。

足し算以外にも、1 - 1のような計算式を指定して、いろいろ試してみてください。

行ごとに複数の式をまとめて書くこともできます。今度は、こんな少し長いプログラムを作成して試してみてください。

```
1 p(3 - 1) # 引き算
2 p(2 * 3) # 掛け算
3 p(9 / 3) # 割り算
4 p(5 % 3) # 余り
5 p((1 + 2) / 3 * 4 * (56 / 7 + 8 + 9))
```

なお、「#」から行末まで（茶色の文字の部分）は、コメントといわれ、Rubyインタプリタに無視されるという約束になっています。この性質を利用して、上記のプログラムでは各行に人間向けのメモも書いておきました。

このプログラムも、先ほどと同じようにファイルに保存して、ターミナルやコマンドプロンプトでrubyコマンドにより実行してみてください。今度はこんな結果になるはずです（ここではプログラムをcalc.rbという名前で保存したものとします）。

```
$ ruby calc.rb ↵
2
6
3
```

---

†5　別の名前でもかまいませんが、その場合は以下の解説は適宜読み替えてください。

```
2
100
```

各行の数式について、その計算結果が順番に出力されているのがわかると思います。

1.5 まとめ

簡単な数式の計算をするRubyプログラムについて説明しました。例をいろいろいじってみて、慣れておいてください。(筆者はたいていの計算をRubyでやってます)

次章では、値を覚える「変数」というものと、値を見てやることを変える「分岐」というものについて説明します。

NOTE

ここで、ちょっと本来の目的を思い出しておきましょう。この本の最終目標は、RubyでRubyインタプリタを作ることです。正確に言うと、Rubyの一部の機能を持った「MinRuby」というプログラミング言語のインタプリタを本物のRuby言語で書いていきます。ここで作った計算式の結果を出力するプログラムは、rubyコマンドで実行できる本物のRubyプログラムなわけですが、最終的にはこれと同じプログラムが「MinRubyプログラム」にもなるということです。
これからしばらく、本物のRubyプログラムの文法を説明するかのような話が続きますが、それは同時にMinRubyの話でもあるんだ、という点を頭の片隅に置きながら読み進めてみてください。

第2章

変数・分岐・ループ

by Ruby by Ruby by Ruby by Ruby by Ruby by Ruby by Ruby by Ruby by Ruby by

第1章の最後に書いたプログラムのうち、最後の行に注目してみましょう。

```
1  p((1 + 2) / 3 * 4 * (56 / 7 + 8 + 9))
```

この行だけをテキストエディタに入力し、ファイルに保存して、Rubyプログラムとして実行してみてください。Windowsで実行した例はこんな具合になるはずです。

```
C:¥Ruby > ruby calc0.rb
100

C:¥Ruby >
```

NOTE

上記の例は、C:¥Rubyフォルダのcalc0.rbというファイルにこのプログラムを保存して、コマンドプロンプトからC:¥Rubyフォルダで実行した場合の例です。やりかたがわからなくなった人は第1章をもう一度読んでください。

2.1 計算結果を覚えておく（変数）

最初のプログラムは、実行すると計算結果である「100」がすぐに画面に出力されます。この式を計算することだけが目的のプログラムなら、これで何も問題はなさそうです。

しかし、実際のプログラムでは、このような単純な計算の結果だけがほしいわけではありません。途中の計算結果をいったんわきに置いておいて、何か別の計算をしてから、あとでまたさっきの計算結果を使いたい、といったことが頻繁にあります。

そんなときに便利な機能が**変数**です。変数とは、いうなれば「値を覚えてくれるもの」です。

例を見ながら説明しましょう。上記のプログラムに少し手を入れて、計算結果を変数に覚えさせておくプログラムに変えると、こうなります。

```
1  answer = (1 + 2) / 3 * 4 * (56 / 7 + 8 + 9)
```

イコール記号=より右側の部分は、最初のプログラムと同じ計算式です。このように書くと、イコール記号の右側にある計算式の結果を、イコール記号の左側にある「answer」という名前の変数で覚えておくことができます。

一般的にいえば、プログラムの中で次のように書くことで、計算式などの結果を変数に覚えさせることができます。

```
[変数の名前] = [計算式など]
```

NOTE

変数の名前に使える文字は、アルファベットの小文字とアンダースコア（_）です（2文字め以降には数字も書けます[†1]）。ただし、Rubyが特別な意味を持たせている語（後述する「if」や「while」など）を変数の名前にすることはできません。なお、出力命令の「p」と同名の変数でも定義できてしまいます（混乱するのでしないほうがよいですが）。このことはもっとずっとあとの章で少し触れます。

では、このプログラムを実行してみましょう。実際に上記の1行だけを書いたRubyプログラムを保存して、それを実行してみてください。

```
C:¥Ruby > ruby calc1.rb ↵
←何も表示されない！

C:¥Ruby
```

このプログラムは変数に値を覚えさせるだけで、いっさい出力をさせていないため、実行しても何も表示されません。

プログラムの実行後に、ターミナルやコマンドラインにanswerに覚えさせた計算結果が表示されるようにするには、プログラムを次のように改良します。

```
1  answer = (1 + 2) / 3 * 4 * (56 / 7 + 8 + 9)
2  p(answer)
```

このプログラムを実行してみましょう。今度は画面に100が表示されましたね。

---

†1　さらに、2文字め以降には大文字のアルファベットも使えます。ただしRubyの慣習上、大文字の入った変数名はあまり使われません。（本書では解説しませんが、大文字は変数ではなく「定数」と呼ばれるものの名前に使われます）

▶ 図2.1　変数（イラストでは名札の付いた鳥のようなもの）が値を覚えていてくれる

```
C:¥ Ruby > ruby calc2.rb ↵
100

C:¥ Ruby >
```

2.1.1 途中で別の計算をする

覚えておいた値をすぐに出力するだけでは、変数のありがたみが感じられないかもしれません。そこで、変数に値を覚えさせてから、その覚えさせた値を出力するまでの間に、何か別の計算をしてみましょう。

```
1  answer = (1 + 2) / 3 * 4 * (56 / 7 + 8 + 9)
2  p(1 + 1)  # 別の計算結果をその場で出力
3  p(answer)
```

このプログラムを実行すると、画面には2と100が表示されるはずです。

```
C:¥ Ruby > ruby calc3.rb ↵
2
100

C:¥ Ruby >
```

2.1.2 別の計算に変数の値を使う

変数を使えるのはpで出力するときだけではありません。別の計算式の中に変数を書くこともできます。つまり、こんなふうに計算式の中に変数を書けば、その変数が覚えている値が計算で使われます。

```
1  answer = (1 + 2) / 3 * 4 * (56 / 7 + 8 + 9)
2  p(answer + 1) # 101 が出力される
```

これを実行すると、101が出力されます。answerという変数に「(1+2)/3*4*(56/7+8+9)」の計算結果（つまり100）を覚えさせ、それに「1」を足したものを出力しているからです。

また、変数をたくさん作ることもできます。さらに、それらを組み合わせた計算もできます。次のプログラムを見てください。

```
1  one = 1
2  two = one + 1
3  p(one + two * two) # 5 が出力される
```

このプログラムでは、oneという変数に1を覚えさせてから、twoという変数に「変数oneと1を足した結果」を覚えさせています。この状態で「p(one+two*two)」と書くと、「1+2*2」となり、その計算結果である5が出力されるのです。

NOTE

変数に値を覚えさせることを「代入する」といいます。また、覚えさせた値を取り出すことを「参照する」または「値を読み出す」などと言います。

2.1.3 変数を上書きする

変数から値を読み出しても、変数がその値を勝手に忘れることはありません。したがって、同じ変数から2回以上読み出すことができます。

```
1  foo = 1 # foo に 1 を代入する
2  p(foo)  # 1 が出力される
3  p(foo)  # もう一回 1 が出力される
```

しかし、新たな値を覚えさせると、上書きされて、古い値は忘れてしまいます。

```
1  foo = 1 # foo に 1 を代入する
2  p(foo)  # 1 が出力される
3  foo = 2 # foo に 2 を代入（上書き）する
4  p(foo)  # 2 が出力される
```

3行めのfoo = 2の代入によって、変数fooは以前覚えていた1を忘れました。代わりにfooはいま2を覚えています。

少しややこしい例を見てみましょう。

```
1  foo = 1
2  p(foo)  # 1 が出力される
3  foo = foo + 1
4  p(foo)  # 2 が出力される
```

3行めのfoo = foo + 1では、まずイコール記号より右側のfoo + 1が計算されます。この時点では変数fooには1が入っているので、foo + 1の計算結果は2になります。そして、この2という値をfooに代入（上書き）しているわけです。つまり、このプログラムの3行めは、実質的にfoo = 2と同じ意味になります。

▶ 図2.2　変数の上書き

NOTE

「変数 = 式」というのは、数学だったら「変数と式が等しい」という意味ですが、Rubyプログラムの中ではあくまで「変数に式の計算結果を覚えさせる（代入する）」という意味であることに注意しましょう。

ダメ押しです。次のプログラムで最後に5が出力されることを、自分でプログラムを実行して確認してください。

```
1  foo = 1
2  p(foo)  # 1 が出力される
3  foo = foo + 1
4  p(foo)  # 2 が出力される
5  foo = foo + foo + 1
6  p(foo)  # 5 が出力される
```

2.2 ゲームを作る（条件による処理の分岐）

ここまでに出てきた例では、ファイルに書かれた内容を1行ずつ順番に実行するプログラムだけを考えてきました。しかし、たとえばゲームのプログラムを作りたいと思ったら、いろいろな条件によって実行される内容を変えるための方法が必要になります。

実際に簡単な計算ゲームを作りながら、そのための方法を学びましょう。プレイヤーが1 + 2 + 3 + 4 + 5 + 6 + 7 + 8 + 9 + 10の答えを推察する、というゲームを作ることにします。

2.2.1 プログラムの実行中に入力を待つ

ゲームなので、いままでのプログラムのように画面に計算結果を表示するだけでなく、プレイヤーに数字を入力してもらう方法が必要ですね。これにはRubyのgets.to_iという命令が使えます。

NOTE

値の出力に使っているpに比べると、gets.to_iはごちゃごちゃしていて急に難しくなったように思えるかもしれません。しかし、「入力を受け取る」という仕事（gets）と、受け取ったものを「数値に変える」という仕事（to_i）を続けて行っているので、見た目が少しいかつくなっているだけです。

まずは、とっかかりとして、1 + 2 + 3 + 4 + 5 + 6 + 7 + 8 + 9 + 10の計算結果とプレイヤーが入力した数の値を、それぞれ変数answerと変数guessに代入して結果を出力してみましょう。こんなプログラムになります。

```
1  answer = 1 + 2 + 3 + 4 + 5 + 6 + 7 + 8 + 9 + 10
2  guess = gets.to_i
3  p(answer)
4  p(guess)
```

このプログラムを実行すると、何も反応がない状態になると思います。

```
C:¥ Ruby > ruby calc4.rb ↵
  ← 何も出力されない（入力を待っている状態）
```

これは、プログラムがプレイヤーからの入力を待っている状態です。適当な数字（たとえば10）をキーボードで入力し、エンターキーを押してみてください。

```
C:¥ Ruby > ruby calc4.rb ↵
10 ↵  ← 10と入れてエンターキーを押す
```

↓

```
C:¥Ruby > ruby calc4.rb ↵
10 ↵

55  ← 正解
10  ← プレイヤーが入力した値
```

正解の55と、入力した10が出力されましたね。プレイヤーの推察は間違っていたようです。

2.2.2 変数の値を見て、次にやることを変える

先ほどのプログラムでは、単にanswerとguessの値をそれぞれ出力しただけでした。もっとゲームっぽく、プレイヤーが入力した数字の値が正解に一致したときは「あたり！」、一致しないときは「はずれ！」などのメッセージを出してあげたいものです。変数の値に応じてやることを変えるには、どうすればいいでしょうか。

Rubyでは、**if文**という仕組みを使うことで、ある条件が成り立つときと成り立たないときでやることを分岐できます。

先ほどのゲームのプログラムでif文を使い、プレイヤーの推察した数値が正解かどうかに応じて「あたり！」か「はずれ！」を出力するようにしてみましょう。変数guessとanswerが等しい（「guess == answer」）ときはp("あたり!")を、そうでないときはp("はずれ!")を実行するようなプログラムを書くと、次のようになります。

```
1  answer = 1 + 2 + 3 + 4 + 5 + 6 + 7 + 8 + 9 + 10
2  guess = gets.to_i
3  if guess == answer   # 変数guessと変数answerは等しい？
4    p("あたり!")        # 等しい場合
5  else
6    p("はずれ!")        # 等しくない場合
7  end
```

if文では、まずif命令の後ろに条件を書きます（3行め）。それから、「その条件が成り立つときにやること」を書きます（4行め）。続けて、else命令を書き（5行め）、その後ろに「条件が成り立たないときにやること」を書きます（6行め）。Rubyインタプリタは、ifの直後に書かれた条件が成り立つときはelseの前までにある命令（複数の命令が並んでいることもあります）を実行し、成り立たないときはelseの直後からendまでの命令を実行します。

NOTE

このプログラムでは、「等しい」を表すのに、「=」を2つ並べた「==」を使っていることにも注目してください。「=」単体は代入のときに使うのでした（Rubyに限らず、わりと多くのプログラミング言語でも同じです）。ちなみに、「等しくない」を表すには「!=」と書きます。

このプログラムを実行してみましょう。プレイヤーとして55を入力した場合には「"あたり!"」、それ以外の数字を入力した場合には「"はずれ!"」と表示されてプログラムが終了するはずです。

```
C:¥Ruby > ruby calc5.rb ⏎
  ← 何も出力されない（入力を待っている状態）
```

↓

```
C:¥Ruby > ruby calc5.rb ⏎
10 ⏎  ← 10と入れてエンターキーを押す
```

↓

```
C:¥Ruby > ruby calc5.rb ⏎
10 ⏎

"はずれ!"  ← 入力が間違っている場合の表示
```

NOTE

プログラムの中では「"はずれ!"」とか「"あたり!"」のように文字の並びを「"」（ダブルクォーテーション）でくくっています。これは、Rubyインタプリタに文字列として扱ってもらいたい値は「"」でくくるという約束になっているからです。
この約束は、いかにも文字列のように見える「あたり!」などだけでなく、数字の場合も同じです。つまり、裸の「1」はRubyプログラムでは数（正確には整数値）として扱われますが、ダブルクォーテーションでくくった「"1"」は文字列として扱われます。"1"は数ではないので、足し算や掛け算はできません。
逆に、Rubyプログラム中で「"あたり!"」を裸の「あたり!」としてしまうと、Rubyインタプリタに文字列だと思ってもらえません。未定義の変数か何かの名前として扱われるのでエラーになります。

2.2.3 条件が成り立つときだけ何かする

条件が成り立つときだけ何かしたい（つまり条件が成り立たない場合には何もしない）なら、elseとその後の命令を省略することもできます。

```
1  answer = 1 + 2 + 3 + 4 + 5 + 6 + 7 + 8 + 9 + 10
2  guess = gets.to_i
3  if guess == answer
4    p("あたりです!")
5    p("おめでとうございます!")
6  end
```

▶ 図2.3 分岐

2.2.4 条件が成り立つとき、さらに条件が成り立ったら何かする

if文の中に別のif文を入れることもできます。たとえば、はずれのとき「"はずれ!"」と出力するだけではそっけないので、ヒントを出してあげましょう。

```
1  answer = 1 + 2 + 3 + 4 + 5 + 6 + 7 + 8 + 9 + 10
2  guess = gets.to_i
3  if guess == answer
4    p("あたりです!")
5    p("おめでとうございます!")
6  else
7    p("はずれ!")
8    if guess > answer  # 変数guessは変数answerよりも大きい?
9      p("それはちょっと大きすぎるよ!")
10   else
11     p("それはちょっと小さすぎるよ!")
12   end
13 end
14 p("また遊んでね!")
```

これで、プレイヤーが入力した答えがはずれのとき、その入力した値が大きすぎたのか小さすぎたのかを教えてくれるようになります。

さらに、プログラムのいちばん最後で「**"また遊んでね!"**」というメッセージを出すようにしました。これはif文のどちらを実行した場合でも出力されます。このように、if文のどちらかが実行されたあとは、endの直後に実行が移ります。

NOTE

if文の中身の行は空白で始めるという慣習があります。この空白を**インデント**といいます。インデントを綺麗にそろえることで、どこからどこまでがif文の中身なのかを視覚的にわかりやすくできます。

2.3 やることを繰り返す（ループ）

先ほどの数当てゲームのプログラムは、はずれたらメッセージを出して終わってしまいます。しかし、はずれたプレイヤーは当てるまで何度も挑戦したいでしょう。そっちのほうがゲームとしてもふつうです。当たるまで繰り返しプレイヤーからの入力を待つにはどうしたらいいでしょう。

「ある条件が成り立つ限り、同じことを繰り返し実行する」という処理のことを「ループ」といいます。Rubyでは、**while文**というループのための仕組みが使えます。

while文では、whileとendという命令をセットで使います。Rubyインタプリタは、whileの直後に書かれた条件が成り立つときはendの前までの命令を実行し、そうでないときはendの後ろに飛びます。条件が成り立つときに命令が実行されるという点ではif文に似ていますが、異なるのは、中身を実行し終えたときにwhile文の先頭に戻ってきて、条件が成り立つかどうかのチェックから繰り返されるという点です（if文では対応するendの後ろに進んでしまいます）。

while文を使って、正解するまで繰り返しプレイヤーからの入力を待つプログラムを書いてみましょう。先ほどまで書いていたプログラムとは違うプログラムになるので、新しいまっさらなファイルに保存してから実行してください。

```
1  answer = 1 + 2 + 3 + 4 + 5 + 6 + 7 + 8 + 9 + 10
2  guess = gets.to_i
3  while answer != guess
4    p("はずれ!")
5    guess = gets.to_i
6  end
7  p("あたり!")
```

変数answerと変数guessの値が同じにならない場合には、「はずれ！」と出力して再びプレイヤーの入力を待つようにしています。「値が同じでない」という条件を判定するには、「!=」を使っています。

たとえば、プレイヤーが50を入力したとします。これははずれなので、while文（プログラムでいうと3行め）の条件にあたるanswer != guessが成り立ちます。

よって、whileの中身のうち、まずプログラムの4行めにある「p("はずれ!")」が実行されます。それからプログラムの5行めで、再び変数guessに読み込むべくプレイヤーの入力を待ちます。これでwhile文の中身の実行は終わりなので、while文の最初に戻ります。

もしプレイヤーが今度は51を入力したとすると、もう一度answer != guessの判定を行い、51もまたはずれなので、while文の中身が実行されます。先ほどと同じように4行め、5行めが実行され、三たびプレイヤーの入力を待つことになります。

今度はプレイヤーが55を入力したとしましょう。今度は変数guessに55が代入された状態でwhile文のanswer != guessが判定されます。55はあたりなので、今度はwhile文の条件が成り立ちません。よってendの後ろ（プログラムの最終行）に進み、「あたり！」と出力して終わります。

2.4 変数とループの組み合わせをもっと

変数と、分岐やループの組み合わせは、プログラミングの超基本イディオムです。息をするように扱えるようになっておく必要があります。そこで、違う例題でもう一度練習してみましょう。

2.4.1 1から1000までの足し算

題材は、1から1000までの足し算です。ここまでのプログラムでは、1から10までの足し算をこんなふうに書いていました。

```
1  answer = 1 + 2 + 3 + 4 + 5 + 6 + 7 + 8 + 9 + 10
```

これくらいなら大したことないですが、1から1000までとなると、同じように書き下すのは大変です。こういう処理こそコンピュータに計算させましょう。

とっかかりとして、変数への代入だけを1から1000まで繰り返すようなwhile文を書いてみます。

```
1  i = 1
2  while i <= 1000
3    i = i + 1
4  end
```

このプログラムでは、まず1行めで変数iに1を代入しておき、その状態で2行めにwhile文がきています。このwhile文の中身が実行される条件は、「iが1000以下の場合（この条件はRubyではi <= 1000と書きます）」です。

while文の中身はi = i + 1です。これは14ページで見たfoo = foo + 1と同じパターンで、変数の値に1を足し、その結果を同じ変数に代入し直します。結果としてiは2になります。

この状態で再びwhile文の条件を満たすか確認されます。2は1000以下なので、今回も条件を満たし、中身が実行されます。同じようにi = i + 1を実行して、今度はiが3になります。つまり、while文の中身が実行されるたびにiの値が1ずつ増えていきます。

そしてiが1001になったとき、初めてi <= 1000という条件が成り立たなくなり、while文が終了します。

NOTE

こういうwhile文の使い方は、さまざまなプログラミングで非常によく出てきます。ぜひパターンとして覚えてしまいましょう。

さて、いましたいのは1 + 2 + ... + 1000という計算でした。先ほどのwhile文では1ずつ増える数値が変数に上書きされていくだけで、足し算はされません。1ずつ増える数値を足しこんでいくには、次のようにプログラムを修正します。

```
1  answer = 0  # この行を追加する
2  i = 1
3  while i <= 1000
4    answer = answer + i  # この行を追加する
5    i = i + 1
6  end
7  p(answer)  # この行を追加する
```

これでどうなるか考えてみましょう。

最初に追加したanswer = 0は、変数answerに0を代入しているだけです。変数iには、先ほどと同じく、まず1が代入されます。while文の条件も先ほどと同じなので、まずはi <= 1000が成り立って中身が実行されます。

中身の最初はanswer = answer + iという文です。この時点でanswerには0が、iには1が入っているので、answer + iは0 + 1になり、その結果である1がanswerに代入されます。

続いてi = i + 1が実行され、再びwhile文の条件判定に戻り、やはり条件を満たすのでanswer = answer + iが再度実行されます。いまはanswerには1が、iには2が入っているので、answer + iは1 + 2で3になります。

同様にiを1増やし、while文を一周してきて、次のanswer = answer + iでは、3 + 3でanswerが6になります。これを繰り返していきます。

ここで、変数answerに足されていくiの値に注目すると、最初は1、次は2、その次は3、......というふうになっています。つまり、answerには、1 + 2 + 3 + ...の計算結果が入れられていくということです。したがって、iが1000になるまで繰り返してwhile文が終わったら、その時点でanswerには1から1000までを足した計算結果が入っていることになります。

その計算結果を最後にp(answer)で出力して終了です。

▶図 2.4 ループ

NOTE

すでにRubyを知っている人は、ここまで読んで、「Rubyにはもっと良い書き方があるのに、なぜこんなふうに書くのか」と思っていることでしょう（たとえば`1.upto(1000) {|i| answer += i }`や`answer = (1..1000).inject(0, &:+)`のような）。ここで説明しているMinRuby（最小のRuby）は、メソッド呼び出しのような「高級な」言語機能を持たないことにします（ただの関数はあります。次章で説明します）。よって、ここでもメソッド呼び出しは説明しません。

「そんなのRubyではない」という意見は正当です。メソッド呼び出しはプログラミング言語にとって必要不可欠なものではありませんが、プログラミング言語は人間がコンピュータに指示を与えるためのものなので、人間が読みやすく書きやすいことは不可欠に近いくらい重要なことです。しかし、この本の目的はMinRubyのインタプリタを作ることなので、まずは説明する言語機能も必要最小限にしています。少し煩雑ですが、しばらくお付き合いください。

2.5 まとめ

この章では、「変数」というものと、if文（条件に応じた分岐）とwhile文（ループ）を説明しました。少しずつ、プログラミングをしている感じが出てきたと思います。例題をいろいろいじったり、以下に用意した練習問題をやってみたりして、この章で覚えた機能に慣れておいてください。

次章ではいよいよ、インタプリタを作る準備として、「木構造」と呼ばれるデータの扱い方を説明します。それを題材として、MinRubyの「データ構造」と「関数」も説明します。

2.6 練習問題

理解をさらに深めるための練習問題です。

プログラミングは、実際に手を動かして知識に血肉を通わせることが重要です。実際にプログラムを書こうとすると、理解していたつもりでも案外時間がかかるもの。でも、それはふつうのことです。ゆっくりでかまいませんので、じっくり考えてみましょう。すらすら解けるようになったら次章に進む、というペースでもかまいません。

2.6.1 ループの間違い探し

次のプログラムは上で説明したプログラムとほとんど同じですが、計算結果が間違っています。このプログラムが何を計算しているのか、考えてみてください。

```
1  answer = 0
2  i = 1
3  while i <= 1000
4    i = i + 1
5    answer = answer + i
6  end
7  p(answer)
```

ヒント：answer = answer + iの文の直前にp(i)という命令を追加して、answerに実際に足されている値を見てみるといいでしょう（1000は大きすぎるので、5くらいに置き換えて考えてみてください）。

2.6.2 偶数だけ足し算する

1から1000のうち、偶数だけを足し合わせた値（つまり`2+4+6+...+998+1000`）を計算するプログラムを書いてください。

ヒント：現状のプログラムでは無条件に`answer = answer + i`としているところを、`i`が偶数の場合にだけ実行するようにすればいいでしょう。特定の条件のときだけ実行するにはif文を使えばいいのでしたね。偶数かどうかを判定するのは、`i`を2で割った余りが0であるかどうか、つまり`i % 2 == 0`でできます。

2.6.3 FizzBuzz

FizzBuzzというプログラムがあります。1から100までの数を順番に出力しますが、3で割り切れる数の場合は数の代わりに“Fizz”を出力し、5で割り切れる数の場合は数の代わりに“Buzz”を出力し、3でも5でも割り切れる数の場合は“FizzBuzz”を出力する、というプログラムです。

FizzBuzzを書いてみてください。実行したときに次のような出力をすれば正解です。

```
1
2
"Fizz"
4
"Buzz"
"Fizz"
7
8
"Fizz"
"Buzz
11
"Fizz"
13
14
"FizzBuzz"
...
```

ヒント1：まず、`while`文を使って1から100まで繰り返すプログラムを書きましょう（開発中は100ではなく20くらいまでにしておくとデバッグしやすいかもしれません）。`while`文の中でやる処理は、(1) その数字を出力する、(2) `"Fizz"`を出力する、(3) `"Buzz"`を出力する、(4) `"FizzBuzz"`を出力する、のいずれかになります。うまく分岐を組んでください。FizzBuzzを口に出してやってみると、条件が頭の中で整理できると思います。

ヒント2：分岐の組み方はいろいろありますが、たとえば次のような組み方が考えられます。

```
if i % 3 == 0
  if i % 5 == 0
    ...
  else
    ...
  end
else
  if i % 5 == 0
    ...
  else
    ...
  end
end
```

開いている4箇所に、(1) から (4) の処理をうまく入れてみてください。

第3章

木を扱う —— 関数

by Ruby by Ruby by Ruby by Ruby by Ruby by Ruby by Ruby by Ruby by Ruby by

ここまでの章で出てきたプログラムは、主に「数」を扱うものでした。単純な計算式の答えを出力したり、条件に応じて処理を分岐して異なる計算結果を得たり、手作業では面倒な繰り返し計算をループでやったりしてきました。

ここで、本書で最終的に作りたいプログラムを思い出してください。そう、Rubyインタプリタです。Rubyインタプリタの仕事は、Rubyというプログラミング言語で書かれたプログラムを実行することです。したがって、Rubyインタプリタを作るときに扱うことになるのは、「Rubyというプログラミング言語で書かれたプログラム」です。

「Rubyというプログラミング言語で書かれたプログラム」は、これまで扱ってきた「数」に比べると、かなり複雑です。そのため、もっと扱いやすい形にする必要があります。「プログラミング言語で書かれたプログラム」のような、それなりに複雑なものをプログラムで扱いたいときに使い勝手がいい形として、**木**というものがあります。

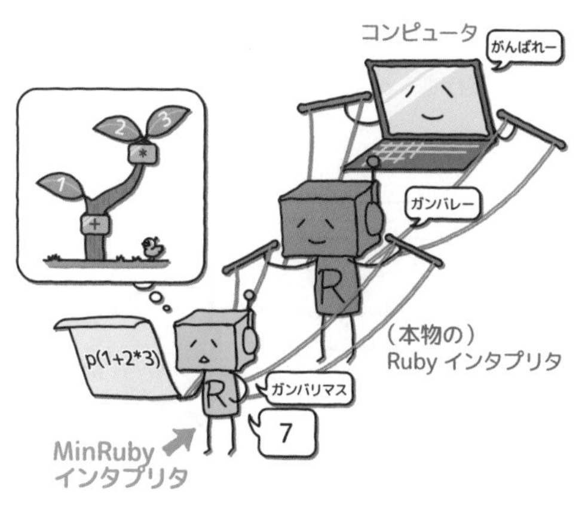

▶図3.1　インタプリタは木を扱う

この章では、木と、木をRubyで扱う方法について説明します。具体的には、**配列**と**関数**について学びます。

木は、そこそこ複雑なものをプログラムで扱いたい場合に便利な構造です。木を作ったり、変形したり、ものを取り出してきたりできるようになれば、かなりの問題をプログラミングできるようになると言っても言いすぎではないでしょう。ここら辺から話が小難しくなる部分も出てきますが、がんばってついてきてください。

3.1 配列：値をまとめる

木は、いくつかの値を束ねてまとめた形をしています。そのため、まずは複数の値を束ねて扱う方法について話をします。たとえば、10と20という2つの値を束ねるには、Rubyでは次のように書きます。

```
1  pair = [10, 20]
```

このように、複数の値をカンマで区切って「[」と「]」でくくるだけです。このように束ねたもののことを**配列**といいます。

配列は、ふつうの値のように、変数に代入できます。実際、上記のプログラムでは、変数pairに「10と20をまとめたもの」が代入されます。

NOTE

pairは、2つの値をペア（pair）にしたものを覚えさせるための変数の名前として、わかりやすいものを選んだだけです。配列にとって特別な何かというわけではありません。したがって、その意味を理解しないと配列が使えないといったこともありません。これからも、さまざまな変数を特に説明なくプログラムの中で使っていきます。イコール記号「=」の左側にあるのは、右側のものをRubyインタプリタに覚えさせるために付けた変数の名前にすぎません。プログラムを読むときは、その変数に覚えさせているのがどんな種類の値で、実行するとどんな値になりうるのか、という点を気にするとよいでしょう。

▶ 図3.2　配列

本当に10と20が入っているのか、pairの中身を命令pで見てみましょう。次のようなRubyプログラムをエディタで書いて名前を付けて保存し、実行してみてください。

```
1  pair = [10, 20]
2  p(pair)
```

実行結果はこんなふうになるはずです（try-pair.rbという名前のファイルに上記のプログラムを保存した場合の例です）。

```
C:¥Ruby > ruby try-pair.rb ⏎
[10, 20]
```

変数pairの中身は、10と20がペアになったもののようですね！

NOTE

こんなふうにプログラムとその実行結果を毎回書いているとスペースばかり使ってしまうので、この先の説明では上記の流れを次のように書いて示すことにします。

```
1  pair = [10, 20]
2  p(pair) #=> [10, 20]
```

つまり、プログラムの中で、「#=>」という形のコメントに続けて、「プログラムを実行したときの、その行の実行結果」を示します。
なお、Rubyプログラムでは「#」より後ろに書いたものは無視されるので、これをそのままプログラムとして実行しても支障ありません。そのため、こんなふうにしてプログラム中にコメントとして実行結果を書き残す方法は、Rubyのリファレンスやブログ記事などでもよく使われています。

3.1.1 配列から値を取り出す

今度は、配列から値を取り出してくる方法を見てみましょう。配列（を覚えさせている変数）pairから1つめの値を取り出すには、pair[0]のように書きます。0は「0番め」[†1]という意味で、この配列には2つしか値がないので、左側の値のことを指します。

```
1  left = pair[0] # 配列pairから0番め（左）の値を取り出して変数leftに代入
2  p(left) #=> 10
```

†1 プログラミング言語には、ものを0から数える流派と、1から数える流派があります。Rubyは前者なので、先頭は「0番め」になります。

同様に、右の値を取り出すには次のように書きます。

```
1  right = pair[1] # 配列pairから1番め（右）の値を取り出して変数rightに代入
2  p(right) #=> 20
```

3.1.2 さまざまな配列

上の例では2つの値の配列を扱いましたが、3つ以上の値でも同様に配列として扱えます。

```
1  ary = [10, 20, 30]
2  p(ary[0]) #=> 10
3  p(ary[1]) #=> 20
4  p(ary[2]) #=> 30
```

逆に、1個だけしか値がない配列も作れるし、値が0個、つまり値を持たない配列も作れます。

```
1  ary = [10]
2  p(ary) #=> [10]
3  p(ary[0]) #=> 10
4  ary = []
5  p(ary) #=> []
```

3.1.3 「値」とは何か

先ほどの説明では、配列は「値」をまとめると言いました。しかし、そもそも「値」とは何なのでしょうか。

プログラミング言語における値とは、「それ以上計算が進まない式」のことです。たとえば、0とか1は値です。一方、1 + 2は計算が進む余地があるので値ではありません。1 + 2を計算して3になれば、これは値です。

値は整数だけとは限りません。前章でなんとなく出てきた"あたり!"というのも、「文字列」という種類の値です。したがって、["あたり!", "はずれ!"]のように、文字列の配列も作れます。

さらに、配列の中身は、同じ種類の値である必要がないので、たとえば「数値と文字列」の配列みたいなものも作れます。

```
1  ary = [10, "じゅう"]
2  p(ary[0]) #=> 10
3  p(ary[1]) #=> "じゅう"
```

実は、配列もまた値です。というのも、[10, 20]は値をまとめただけのものなので、それ以上計算が進むことはないからです[†2]。したがって、「数値と配列」の配列、みたいなものも作れます。

```
1  ary = [10, [20, 30]]
```

慣れないと見にくいかもしれませんが、左側には10という数値が、右側には[20, 30]という配列が入っています。

```
1  p(ary[0]) #=> 10
2  p(ary[1]) #=> [20, 30]
```

aryから20を取り出してみましょう。まず、aryの右側の値（配列）を取り出し、その値から右側の値を取り出します。

```
1  right_ary = ary[1]  # 右側の値を取り出す
2  p(right_ary)        #=> [20, 30]
3  p(right_ary[0])     #=> 20
```

上記の例では、わかりやすくするためにright_aryという別の変数を用意してそこにいったんaryの右側の値を入れましたが、余分な変数を介さず一気に取り出すこともできます。ary[1]からさらに0番めを取り出したいので、ary[1]の後ろに[0]を指定するだけです。

```
1  p(ary[1][0]) #=> 20
```

さらにややこしいですが、「配列の配列」は値なので、「配列の配列の配列」を作ることもできます。「配列の配列の配列の配列」を作ることだってできます。実は、この「配列の配列の...の配列」という考え方が、次の節で「木」を表現するときに重要になってきます。

---

†2 ただし、配列の中身に値になっていないものがあったら、その配列は値ではありません。たとえば[10 + 20, 40]のようなものは、[30, 40]まで計算が進んで初めて値になります。

3.2 「木」とは

コンピュータ科学の世界における「木」とは、複数のものに親子関係を与えたものです。

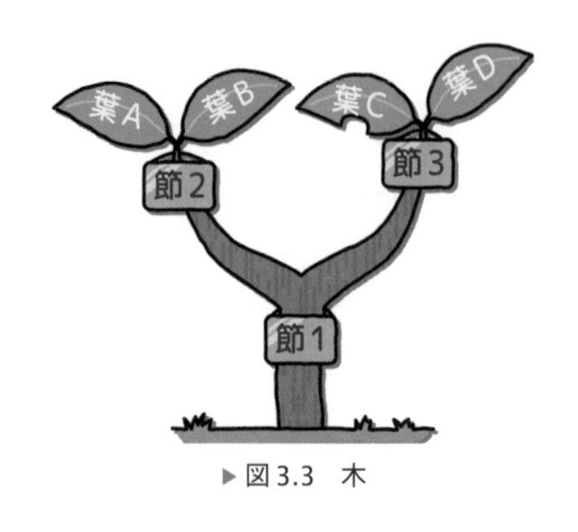

▶図3.3　木

といっても、なんのことかよくわかりませんよね。たとえば、左の図のような植物の「木」の絵を思い描いてください。

この木の絵で、下にあるほうを「親」、上にあるほうを「子ども」と呼ぶことにします。たとえば、いちばん下の(節1)は、(節2)と(節3)を子どもに持ちます。(節2)は、(葉A)と(葉B)を子どもに持ちます。同様に(節3)も、(葉C)と(葉D)を子どもに持ちます。(葉A)から(葉D)は子どもを持ちません。

木では、この例のように、親は複数の子どもを持てます。逆に、1つの子が複数の親を持つことはできません。また、誰かの親であっても、別の誰かの子である場合もあります（節2や節3がそうなっています）。子どもを持つものを**節**(せつ)といい、持たないものを**葉**(は)といいます。この例では、その名のとおり、(節1)〜(節3)が節で(葉A)〜(葉D)が葉です。

どの木にも、親を持たない節がただ1つあります。そのような節を**根**(ね)といいます。上の例では(節1)が根です。

3.2.1 木をRubyプログラムで表現する

それでは、このような木をRubyプログラムで表現する方法を考えましょう。木には親や子がいくつかあるということは、複数のものが集まっているわけだから、配列を使えば木を表現できそうです。実際、上の絵の木をRubyプログラムで表現すると、次のように書けます。

```
1    node1 = ["節1", ["節2", ["葉A"], ["葉B"]], ["節3", ["葉C"], ["葉D"]]]
```

かっこだらけで何が何だかわからないですね。順を追って、この木がどんな造りになっているのかを見ていきましょう。

NOTE

(節1) とか (葉1) は、それぞれの節や葉の名前です。その名前が示す場所の節や葉に、その名前の文字列を値として持たせていると思ってください。たとえば、(節1) には"節1"という文字列を、(葉1) には"葉1"を持たせています。

3.2.2 部分的な木

木には、「ある節とその子どもたちだけを取り出したものも木になっている」、という面白い特徴があります。

たとえば、図3.3の木から (節2) とその子どもたちだけを取り出すと、(節2) が根で、その子として (葉A) と (葉B) があるだけの小さな木になっています。こういうふうに、全体の木からある節とその子どもたちを取り出した木のことを「部分木」といいます。同様に、(節3) とその子どもたちを取り出したものは、(葉C) と (葉D) を子として持つ部分木です。

▶ 図3.4 部分木1

逆に考えると、「(節2) を根とする部分木」と「(節3) を根とする部分木」の2つを子どもに持つ節に、(節1) という名前を付けたものが、元の木だったといえます。

ここで、(節2) の木をさらに分解して、(葉A) だけを取り出してみましょう。

▶ 図3.5 部分木2

この「木」はただ1つの葉が根になっていて、親子関係はひとつもありません。葉だけしかないものを木と呼ぶのは不思議な感じがしますが、コンピュータ科学の世界では、葉が1つだけでも木と呼びます。

ここでも逆に考えると、「(葉A) を根とする木」と「(葉B) を根とする木」の2つを子どもに持つ節に、(節2) という名前を付けたものが、(節2) の部分木だった、といえます。

逆に考えてばっかりだと思うかもしれませんが、この観察が重要です。つまり、節というのは、複数の部分木を「まとめたもの」に名前を付けたもの、ということです。

3.2.3 木をRubyの配列で構築する

実際にRubyプログラムで木を表現していきましょう。部分木をまとめるので、Rubyプログラムで値を「まとめる」ための配列を使います。

図3.3の木を例に使います。まず、葉1つからなる木を表現するために、「名前の文字列1つだけからなる配列」を使うことにします。

```
1 leaf_a = ["葉A"]
```

なぜこうするのか？ ということが気になるかもしれませんが、とりあえず深く考えずに進んでください。他の葉も同様に作っておきます。

```
1 leaf_b = ["葉B"]
2 leaf_c = ["葉C"]
3 leaf_d = ["葉D"]
```

次に、節を表現します。例として考えている木の(節2)を表現しましょう。

すでに述べたように、節というのは、部分木（と名前）をまとめたものです。(節2)の部分木は、`leaf_a`と`leaf_b`です。また、節の名前は"節2"です。これらの値を配列としてまとめれば、節になります。

```
1 node2 = ["節2", leaf_a, leaf_b]
```

名前、左の部分木、右の部分木、という順番で配列に入れました。(節3)のほうも同様に表現できます。

```
1 node3 = ["節3", leaf_c, leaf_d]
```

最後に(節1)です。これもやはり部分木をまとめたものです。ここで言う部分木は、(節2)と(節3)になります。

```
1 node1 = ["節1", node2, node3]
```

これで、(節1)を表現した配列を作ることができました。ここではわかりやすさのためにnode2や`leaf_a`などの中間変数を使いましたが、直接node1を定義すると次のようになります（ちょっと前にチラ見せしたものとまったく同じ形です）。

```
1 node1 = ["節1", ["節2", ["葉A"], ["葉B"]], ["節3", ["葉C"], ["葉D"]]]
```

見にくいので、改行とインデントを使って、もう少しわかりやすく表現してみます。ちなみにRubyでは、こんなふうに配列の「[」と「]」の中に改行を入れてもかまわないことになっています。

```
1  node1 = [
2    "節1",
3    ["節2", ["葉A"], ["葉B"]],
4    ["節3", ["葉C"], ["葉D"]]
5  ]
```

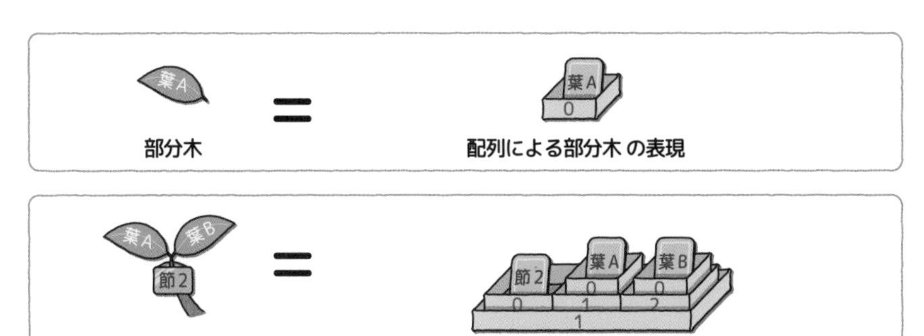

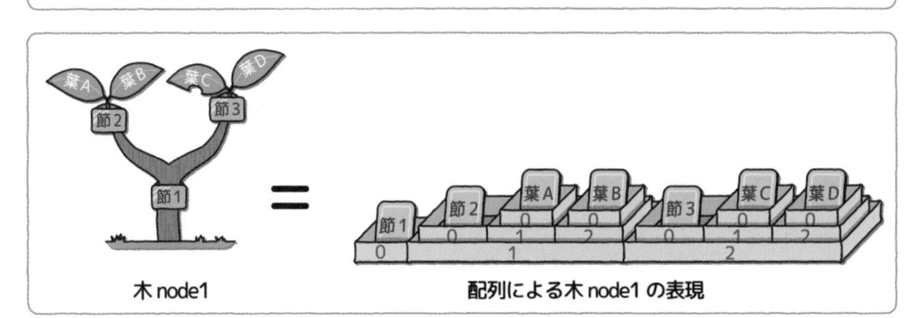

▶図3.6 部分木を表現する配列

NOTE

ここで示した木の表現方法は一例であって、ただ1つの方法ではありません。たとえばここでは「名前、左の部分木、右の部分木」という順番で配列に格納しましたが、この順番はたとえば「左の部分木、右の部分木、名前」としてもかまいません。また、ここでは節や葉の名前に文字列を使いましたが、整数を使ってもかまいません（ただしこの表現方法を変えると、この先で木を分解していく際のプログラムも合わせて変える必要があります）。この本では深入りしませんが、木の表現方法は実にさまざまな方法があり、それぞれにメリットとデメリットがあります。

3.2.4 木を分解する

配列を使って木を作ることができたので、今度は作った木を分解してみます。

根(ね)の名前を取り出すには、配列の0番めを見ればいいですね。

```
1  p(node1[0]) #=> "節1"
```

左側の部分木を取り出すには、1番めを見ます。

```
1  node2 = node1[1]
2  p(node2) #=> ["節2", ["葉A"], ["葉B"]]
```

右側の部分木は2番めです。

```
1  node3 = node1[2]
2  p(node3) #=> ["節3", ["葉C"], ["葉D"]]
```

取り出した部分木から名前を取り出したり、そのまた部分木を取り出したりするのも同様です。たとえば、**(節2)** の部分木から、名前と部分木2つを取り出してみます。

```
1  p(node2[0]) #=> "節2"
2  p(node2[1]) #=> ["葉A"]
3  p(node2[2]) #=> ["葉B"]
```

このように、節に対しては、0番めを取り出すとその節の名前、1番めからは左側の部分木、2番めからは右側の部分木が得られる、ということを覚えておいてください。

ちなみに、葉は名前1つだけからなる配列として表現しているので、部分木を取り出すことはできません。

```
1  leaf_a = node2[1]
2  p(leaf_a[0]) #=> "葉A"
3  p(leaf_a[1]) #=> nil
4  p(leaf_a[2]) #=> nil
```

このように、長さ1の配列に対して1番めや2番めの値を読み出そうとすると、`nil`になります。この`nil`は、Rubyで「無」を表す特殊な値です。

3.3 関数：木をあやつる強力な道具

手作業で木を作ったり分解したりする方法はわかりました。次は、もう少しプログラムっぽく木をあやつることを考えていきます。題材として書くプログラムは、「木の名前」を順番に全部出力していくプログラムです。

NOTE

この例で「木の名前」といっている場合の「木」は、「木全体」のことではなく、「木の中にある部分木」たちのことです。つまり上記のプログラムがすることは、「ある木を受け取り、その部分木（節や葉）をすべてたどって、各部分木の名前を順に表示する」です。

説明はあとにして、まずは答えとなるプログラムを見てみましょう。

```
1  def preorder(tree)
2    p(tree[0]) # 各部分木でやりたい処理（ここでは名前の出力）
3    if tree[0].start_with?("節")
4      preorder(tree[1])
5      preorder(tree[2])
6    end
7  end
8
9  # ↓動作確認用のデータ
10 node1 = ["節1", ["節2", ["葉A"], ["葉B"]], ["節3", ["葉C"], ["葉D"]]]
11
12 preorder(node1)
```

とりあえず動かしてみましょう。上記をファイルに保存して実行してみてください。

```
C:¥Ruby > ruby tree-names.rb ↵
"節1"
"節2"
"葉A"
"葉B"
"節3"
"葉C"
"葉D"
```

見事、木に含まれているすべての部分木の名前（つまりすべての値）を表示することができました。

3.3.1 関数で木をたどる

すべての部分木をいっぺんに考えるのは無理なので、いちばん大きな木だけを考えてみましょう。木そのものの名前、つまり根の値を表示するには、木を表す配列の先頭の値を取り出せばいいのでした。treeという変数に木が入っているとしたら、その木の名前は次のようにして取り出せます。

```
1  p(tree[0])
```

いまやりたいことは、木の中のすべての部分木において、これと同じプログラムの断片を実行することです。そうすれば、木に含まれる部分木の名前を全部列挙することができます。

木の中にある一部または全部の部分木に対して同じ処理を行うプログラムでは、木をたどるための強力な道具として、**関数**というものが使えます。

関数は、プログラム断片を「使い回しできる道具」にしたものです。先ほどのプログラム断片p(tree[0])を、関数という「使い回しできる道具」にしようというわけです。次は、その方法を見てみましょう。

3.3.2 関数を定義する方法

まず、先ほどのプログラム断片p(tree[0])を、def preorder(tree)とendでくくります。

```
1  def preorder(tree)
2    p(tree[0])
3  end
```

これだけで、作りたい道具にpreorderという名前を付けて定義できました。これを**関数定義**といいます。この例では道具の名前をpreorderとして関数定義しましたが、名前は好きなものを付けてかまいません。なお、関数名に使える文字は、ほぼ変数名と同じです[†3]。

これで関数は定義できましたが、これを書いたプログラムを保存してrubyコマンドで実行しても、画面には何も出力されません。道具を作っただけで、道具を使っていないためです。この道具を使うには、次のように書き足します。

```
1  preorder(node1) #=> "節1" が出力される
```

このように道具を使うことを、引数に関数を**適用する**といいます。ここでは、node1という引数にpreorderという関数を適用しました。

これでめでたく根の名前が1つ表示されました。しかし、根の名前しか出力されません。木に含まれるすべての名前を出力したいのですが、preorderは部分木をどう扱えばいいか何も知らないため、このようになるのです。

3.3.3 関数の中で関数を適用する

次は、preorder関数に部分木の扱い方を教えてあげる必要があります。

まず、いまの状況を整理してみましょう。

- 元のプログラム断片p(tree[0])は、ある部分木treeについて、その名前を

†3　変数名と異なり、先頭に大文字アルファベットを用いることもできます。ただし慣習上、一部の例外を除いて関数名に大文字は使われません。また、関数名の最後に?や!を付けることもできます。これについては110ページで触れます。

出力するものです。

- treeの部分木であるtree[1]やtree[2]についても、同じプログラム断片を実行したいと考えています。
- そのプログラム断片は、すでにpreorderという名前の「使い回しできる道具」になっています。
- この道具を使うには、木に対してpreorder(...)と書けばよいのでした。

これらの観察を組み合わせると、部分木であるtree[1]やtree[2]についてもpreorder(...)を適用すればいいのではないか、と思い至ります。次のように書いてみましょう。

```
1  def preorder(tree)
2    p(tree[0])
3    preorder(tree[1])
4    preorder(tree[2])
5  end
```

preorderの定義の中でpreorderの適用をしています。このように、関数定義の中で自分自身を用いることを**再帰**といいます。

node1にpreorderを適用して実行してみます。

```
1  preorder(node1)
```

実行すると、次のように"節1"、"節2"、"葉A"まではいい感じに動きますが、そこでNoMethodErrorと出力されてしまいます。これは、Errorとあるとおり、一種のエラーです。何が起きたのでしょうか。

```
C:¥Ruby > ruby tree-names.rb ⏎
"節1"
"節2"
"葉A"
NoMethodError
preorder.rb:4:in `preorder': undefined method `[]' for nil:NilClass
  ↪  (NoMethodError)
        from preorder.rb:5:in `preorder'
        from preorder.rb:5:in `preorder'
        from preorder.rb:5:in `preorder'
        from preorder.rb:9:in `<main>'
```

treeの名前だけではなく、tree全体を出力してみれば、何が起きているのかわかります。

```
1  def preorder(tree)
2    p(tree)            # p(tree[0]) から一時的に変更
3    preorder(tree[1])
4    preorder(tree[2])
5  end
6
7  preorder(node1)
```

もう一度、同じように実行してみましょう。

```
C:¥Ruby > ruby tree-names.rb ⏎
["節1", ["節2", ["葉A"], ["葉B"]], ["節3", ["葉C"], ["葉D"]]]
["節2", ["葉A"], ["葉B"]]
["葉A"]
nil
preorder.rb:5:in `preorder': undefined method `[]' for nil:NilClass
  ↪  (NoMethodError)
(略)
```

出力の2〜4行めに注目してください。まず(節1)の木が表示され、次に(節2)の部分木が表示され、その後(葉1)にたどり着いています。葉は部分木を持たないので、tree[1]がnil（「無」の値）になります。preorderはtreeが部分木であると仮定していますが、そこにnilという想定外の値がきたために、変なことになったのです。

ではどうすればいいかというと、部分木がちゃんと存在する場合にだけpreorderを適用すればいいのです。特定の場合にだけ実行するプログラムを書くには、前章で登場したif文を使うのでしたね。

```
1  def preorder(tree)
2    p(tree[0]) # 各部分木でやりたい処理
3    if ... # 条件を埋める
4      preorder(tree[1])
5      preorder(tree[2])
6    end
7  end
```

条件には何を書けばいいでしょうか？ 部分木がちゃんと存在する場合とは、このtreeが葉ではなく節である場合です。いま扱っている木では、葉ではなく節の場合には名前の先頭が「節」という文字になっています。そこで、名前の文字列が"節"で始まるかどうかで、treeが節かどうかを判断することにしましょう。文字列が"節"という文字列で始まるかどうかは、Rubyに備わっている.start_with?という機能を使って、《文字列》.start_with?("節")とすれば確かめることができます。

```
1  def preorder(tree)
2    p(tree[0]) # 各部分木でやりたい処理
3    if tree[0].start_with?("節")
```

```
4        preorder(tree[1])
5        preorder(tree[2])
6      end
7    end
```

▶ 図 3.7　関数 preorder の動き

これで、すべての名前を出力するプログラムが完成しました。

関数を使って木をあやつる話は、ほかにもまだまだいっぱい話すべきことがありますが、いったんここまでの話を何度も読み返しておいてください。

NOTE

treeが節か葉かを判断する別の手段として、tree[1]を実際に読み出してみた結果がnilになるかどうかを見るという方法もあります。treeが葉の場合はtree[1]はnilになり、treeが節の場合はtree[1]は部分木になります。よって、tree[1] != nilという条件を書けばいいのです。

3.4 計算の木

この章を終える前に、木がなぜインタプリタの実装で重要なのかを触れておきます。その理由を一言でいえば、「プログラムというのは木で表される」ためです。

簡単な例として、1 + 2 * 3というプログラム（というか計算式）を考えます。これを木で表すと図3.8のようになります。

▶ 図3.8　計算の木の例

「足す」と「掛ける」の記号が節、整数が葉に入っています。

計算というのは、この木を葉から根に向かって処理していくことです。まず、(*)の節より上の部分木に注目します。2と3の葉がぶらさがっています。これは部分木全体で2 * 3を表現しているので、6になります。次に木全体を見ると、「1と、右の部分木の値を足す」という意味になっています。右の部分木は先ほど6になったところなので、1と6を足して7になります。1 + 2 * 3は7なので、一致しました。確かにこの木は計算を表しているようです。

インタプリタの仕事とは、この「計算の木」をたどったり操作したりして、計算を行うことなのです。

（なおこの節や葉には、名前ではなく、演算子の種別を表す文字列を持たせます。たとえば1 * 2 + 3 * 4という計算式を木にすると、(*)という値を持つ節が2つ現れることになるので、一意な名前ではなくなります。）

NOTE

木の概念は、インタプリタに限らず、コンピュータの世界で至るところに現れます。身近なところでは、ファイルやフォルダは木の一種です（フォルダが節、ファイルが葉）。チェスや将棋の人工知能も、やっているのは木を扱うことです（盤面の状態を節とし、その節はそこから1手進めた盤面を子どもとして持つ「ゲーム木」と呼ばれる木をうまくたどって、より勝利盤面に近そうな子どもを探していく)。ほかにも、データベースや経路探索など、幅広く応用されています。

3.5 まとめ

Rubyの配列を使って「木」を表現することと、関数という道具を使って「木」を分解することを駆け足で学びました。

次章では、いよいよ「計算の木」を計算するプログラムを書いていきます。簡単に言えば「電卓のプログラム」、大げさに言えば「四則演算だけからなるプログラミング言語のインタプリタ」です。

3.6 練習問題

3.6.1 さまざまな木

図3.9の「別の木」を、Rubyで表現してみてください。それを手作業で分解したり、preorderを適用したりしてみてください。

3.6.2 葉だけ列挙する

preorderをいじって、葉の名前だけを出力するようにしてみてください。次のように動けば正解です。

```
"葉A"
"葉B"
"葉C"
"葉D"
```

ヒント：treeが葉である場合、すなわち.start_with?("葉")である場合だけp(tree[0])を実行すればいいでしょう。

▶図3.9 別の木

3.6.3 帰りがけ順

preorderは、「行きがけ順」と呼ばれる順序で名前を出力します。木を図3.10に示した番号で示す順でたどり、それぞれの節や葉に最初にたどり着いたときに名前を出力するという順序です。

逆に、その節や葉に最後にたどり着いたときに名前を出力するのを「帰りがけ順」といいます。preorderを元に、帰りがけ順で名前を出力するpostorderを書いてください。次のように動けば正解です。

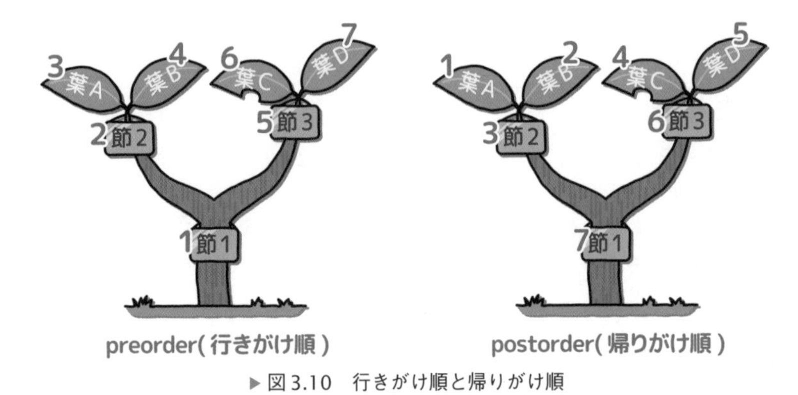

▶図3.10　行きがけ順と帰りがけ順

```
"葉A"
"葉B"
"節2"
"葉C"
"葉D"
"節3"
"節1"
```

ヒント：いまは、関数の最初にp(tree[0])を実行しているので行きがけ順になっています。帰りがけ順は、関数のどこで出力を実行すればいいでしょうか。

第4章

電卓を作る

by Ruby by Ruby by Ruby by Ruby by Ruby by Ruby by Ruby by Ruby by Ruby by

第3章では、関数を使った木の扱い方を勉強しました。この章の目標は、関数と木についてもう少し掘り下げつつ、「計算の木」を扱うプログラム、すなわち電卓アプリをRubyで作ることです。

▶図4.1　電卓アプリをRubyで作る

Rubyのライブラリと、そのインストールについて

ちょっと凝った機能が必要なプログラムを書こうというとき、自分ひとりの力ですべての処理を書くのは大変です。よく使う機能については、最初からプログラミング言語に用意されていて、すぐに使えるようになっていると便利です。

しかし、あらゆる機能をプログラミング言語に取り込んでしまうと、それはそれで扱いにくいものになってしまいます。そこで多くのプログラミング言語では、全員が使うわけでもない機能については、後付けで必要な人だけが追加インストールできるようになっています。そのような仕組みを**ライブラリ**といいます。

この本では、Rubyの基本を学びつつRubyそのものを作っていますが、中にはゼロからすべて作るのは面倒な機能もあります。そのため、そうした機能については、筆者のほうであらかじめライブラリを用意しています。そのライブラリ（minrubyという名前です）をインストールする方法を説明します。

インストールといっても、特に難しいことはありません。ターミナルやコマンドプロンプト上で、`gem install minruby`というコマンドを実行するだけです。

```
C:¥ Ruby > gem install minruby ↲
Fetching: minruby-1.0.gem (100%)
Successfully installed minruby-1.0
Parsing documentation for minruby-1.0
Installing ri documentation for minruby-1.0
Done installing documentation for minruby after 0 seconds
1 gem installed
C:¥ Ruby >
```

これだけで、gemというコマンドが、インターネット上の決まった場所で管理されているライブラリを自動的にパソコン内の適切な場所にダウンロードしてくれて、そのインストールまですべてやってくれます。

ただ、ネットワークへの接続に制限があったり、管理者権限を持っていなかったりで、gemコマンドがうまく実行できない場合もあると思います。そんな場合には、`https://raw.githubusercontent.com/mame/minruby/master/lib/minruby.rb`から`minruby.rb`をファイルとしてダウンロードし、それを自分が書くプログラムと同じフォルダに置いておくだけでも大丈夫です[†1]。

4.1 電卓はインタプリタ

さて、この章の目標はすでに言ったように「Rubyで電卓を作ること」ですが、Rubyで計算をするという話だったら、第1章からすでに何度もやっています。Rubyだけで計算ができるのに、どうして電卓なんてものが必要になるんでしょうか？

そもそも、この本の目標は、MinRubyというプログラミング言語の**インタプリタ**を作ることだったはずです。電卓を作ることが、プログラムを実行するインタプリタに

†1 この方法は、`minruby`ライブラリでは使えますが、ライブラリによってはその他の設定が必要になる場合もあるので注意してください。

どう関係するのでしょうか？

実を言うと、電卓には、プログラミング言語のインタプリタとよく似たところがあります。電卓がすることを思い返してみてください。電卓は、計算式を受け取って、それを解釈し、計算した結果を表示してくれます。これはインタプリタの動作そのものです（忘れてしまった人は第1章を読み直しましょう）。つまり電卓は、**四則演算言語**（四則演算だけからなる言語）の**インタプリタ**だといえるのです。

この先、MinRubyインタプリタを作っていくうえで、変数や分岐や関数などのさまざまな言語機能を実装していくことになります。その言語機能の中には、四則演算も含まれます。よって、遅かれ早かれ四則演算言語のインタプリタを実装することは必要になります。また、四則演算はこれから実装していく言語機能の中でいちばん簡単なものです。なので、まずはここから始めましょう。

では、その四則演算インタプリタをどうやって作ればいいでしょうか。ヒントは、前章で最後に見た「計算の木」です。電卓というインタプリタが受け取って解釈する「計算式」は、木と非常に相性がよかったのでした。

まず、計算の木を使って計算式の答えを導く方法について考えてみましょう。

4.1.1 あらためて計算の木について考える

たとえば`2 * 4`を表す計算の木は図4.2のようになります。そして、`2 * 4`を部分式として持つ`1 + 2 * 4`は図4.3のようになります。

▶ 図4.2　2 * 4を表す計算の木

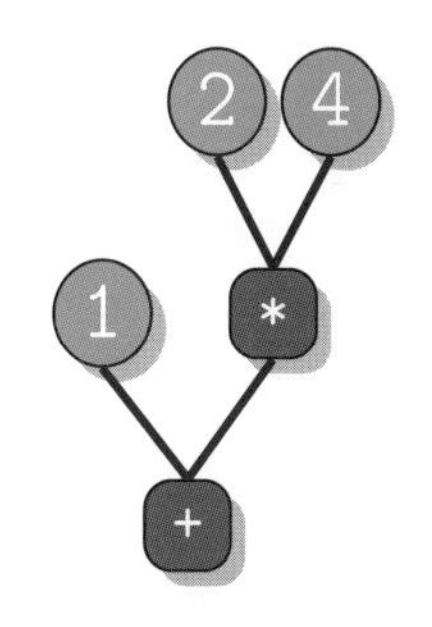

▶ 図4.3　図4.2を部分式として持つ計算の木

図4.3の木が、`2 * 4`の計算式をそのまま部分木に持っているところがポイントです。このように、部分木の組み合わせで複雑な計算式を表現していけます。

4.1.2 計算の木を実行する

計算の木は、次のルールで「実行」できます。

まず、葉については、持っている値をそのまま実行結果とします。節については、「それぞれの部分木の実行結果を、演算子に従って計算したもの」が実行結果です。

図4.3に示した1 + 2 * 4の計算の木を例に、実際に実行してみましょう。

葉は、そのまま1や2が実行結果になります。

それから、(*)の節に注目します。左の部分木は葉で、その実行結果は2でした。

右の部分木も葉で、やはり実行結果は4でした。この節は掛け算を表すので、2と4を掛けた8が、この(*)の節の実行結果となります。

最後に(+)の節に注目します。この節の左の部分木は葉で、その実行結果は1でした。右の部分木は、先ほど8になりました。この節は足し算を表すので、1と8を足した9が、実行結果となります。振り返って、1 + 2 * 4を計算すると9なので、確かに計算結果になっているようです。

▶図4.4 計算の木を実行する

この処理は、計算の木をたどっているだけです。計算式を、木で表したおかげで、「たどるだけ」で実行できるようになったのです。もし、計算式が「1 + 2 * 4」という文字列のままだったら、こんなふうにそのまま実行することはできません。

このように、計算式を木として実行するには、計算式の文字列をいったん木に変換しなければなりません。この変換のことを、**構文解析**または**パース**といいます。その結果として得られる木のことを、**構文木**といいます。

4.1.3 抽象構文木

今度は、次のような計算の木について考えてみます。

図4.5は、2 + 4という計算の木です。それから、図4.6は、1 * (2 + 4)という計算の木です。

▶図4.5　2 + 4を表す計算の木

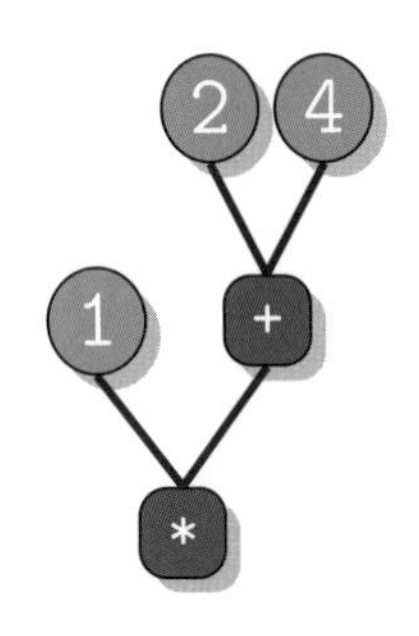

▶図4.6　図4.5を部分式として持つ計算の木

図4.6の木は、図4.3に示した1 + 2 * 4の木と構造は同じで、(+)と(*)が入れ替わっただけです。木をたどってみて、実行結果が7になることを確認してください。

さて、1 + 2 * 4と1 * (2 + 4)には、かっこの有無という違いもあります。後者の式からかっこを取り除いた1 * 2 + 4では、意味が変わってしまいますね。しかし、この2つの式は、計算の木の構造は同じです。文字列の表現では曖昧性をなくすために余分なかっこという余分な記号が必要ですが、木で表現した場合はこのような記号が不要になります。

さらに、読みやすさのために数字と演算子の間に空白を入れたり、式がもっと長くなったら改行を入れたりするかもしれませんが、これらは計算の木の実行には関係がないものです。

このように、式を表す文字列の中には、実行には必要のない情報も含まれています。そのため、構文解析の段階では、これらの情報を除去してなるべく処理が簡潔になるようにします。こうした、何かを行ううえで不要な情報を除去することを「抽象化」といい、抽象化が施された構文木のことを**抽象構文木**といいます。

4.2 インタプリタの動作の流れ

「計算の木」の「実行」という概念を手に入れたところで、もっとも基本的なインタプリタである「四則演算言語のインタプリタ」、すなわち電卓を書いていきましょう。このインタプリタは、「計算式」というプログラムを受け取り、その計算結果を出力します。

こんなふうに動くものを作っていきます。

```
C:¥Ruby > ruby interp.rb ⏎
1 + 1                                ←入力
2                                    ←出力

C:¥Ruby > ruby interp.rb ⏎
(1 + 2) / 3 * 4 * (56 / 7 + 8 + 9) ←入力
100                                  ←出力
```

プログラムを実行するインタプリタの基本的な動作の流れは、「プログラムを読み込む」「読み込んだプログラムを実行する」というものです。

四則演算インタプリタに当てはめると、「計算式を入力する」「入力した計算式を計算する」という流れになります。ただ、計算式にはpのような出力命令が含まれないので、そのままでは計算した結果がわかりません。そこで最後に「計算結果を出力する」という処理も行うことにします。

読み込んだプログラムは、通常はテキストファイル、すなわちただの文字列です。四則演算インタプリタにとってのプログラム（計算式）も"1 + 2 * (3 + 4)"のような文字列です。前述したように、プログラムを文字列のまま解釈するのは不可能に近いので、構文解析をして計算の木に変換します。

まとめると、これから書くインタプリタの構成は次のようになります。

```
1   # ① 計算式の文字列を読み込む
2   str = gets
3
4   # ② 計算式の文字列を構文解析して計算の木にする
5   tree = ...
6
7   # ③ 計算の木を実行（計算）する
8   answer = ...
9
10  # ④ 計算結果を出力する
11  p(answer)
```

①と④はもう完成しているので、②と③の穴を埋めていきましょう。

4.3 計算式の文字列を計算の木に変換する

まずは②の構文解析、つまり計算式の文字列を計算の木に変換する部分を作る必要があります。

とはいえ構文解析は、それだけで専門書が一冊書けるくらいに広範な分野である一方で、実を言うとインタプリタの実装においてそこまで重要な話ではありません（もちろん実用的なインタプリタを作るときは重要な話がいっぱいあります）。

そこでこの本では、構文解析そのものについては深入りしないことにします。本章の冒頭でインストールしたminrubyライブラリには、minruby_parse(文字列)とすることで、計算式の文字列を計算の木に変換する（つまり構文解析する）機能が入っているので、それを使いましょう。次のようなプログラムを書けば、"1 + 2 *

4"という計算式を構文解析できます[†2]。

```
1  require "minruby"
2
3  tree = minruby_parse("1 + 2 * 4")
4  p(tree)
```

このプログラムを実行すると、次のような「木」が画面に出力されるはずです。

```
["+", ["lit", 1], ["*", ["lit", 2], ["lit", 4]]]
```

この木を絵に描くと図4.7のようになっています。いままでの木とちょっと違うのは、葉が単に値を配列に入れたものではなく、"lit"という文字列と値のペアになっているところです。

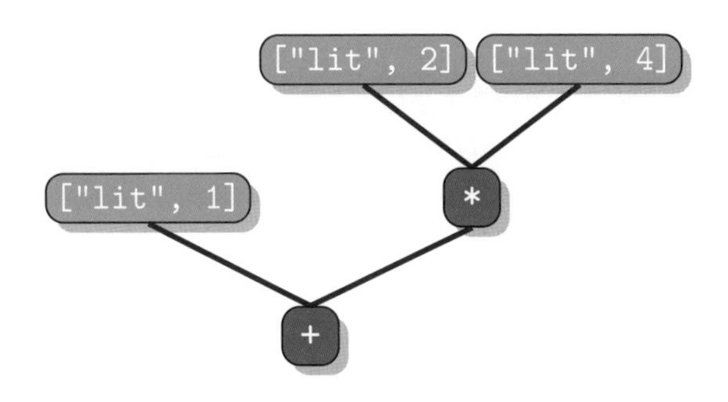

▶ 図4.7 minruby_parse("1 + 2 * 4")でできる"1 + 2 * 4"の抽象構文木

このようになっているのは、あとでインタプリタを作るときに、この形になっているほうが都合がよいというだけです。図4.7の木は、実質的には図4.8の木と同じで、そこから「lit」のところを枝の一部とみなして無視した図4.9は、いままでの木（図4.3）と同じです。

というわけで、minruby_parse(文字列)の結果に含まれている"lit"については、いまのところは気にしないでください。

もっと大きな計算式の変換もやってみましょう。

```
1  p(minruby_parse("(1 + 2) / 3 * 4 * (56 / 7 + 8 + 9)"))
```

†2 もしminruby.rbを手動でダウンロードした場合は、最初のrequire "minruby"をrequire "./minruby"に置き換えてください。

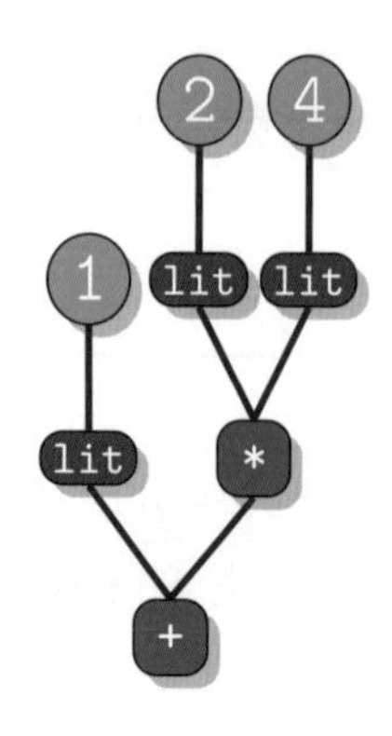

▶ 図4.8　"1 + 2 * 4"の抽象構文木

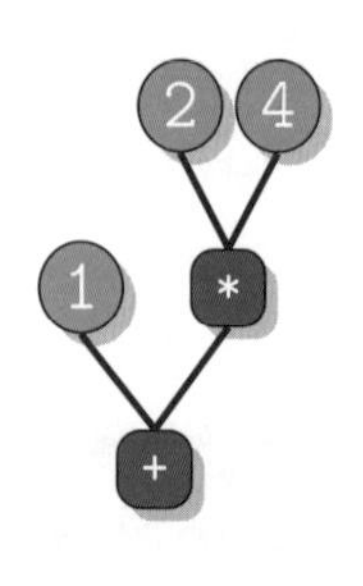

▶ 図4.9　図4.8からlitを無視した木

結果はこうなります。

```
["*", ["*", ["/", ["+", ["lit", 1], ["lit", 2]], ["lit", 3]], ["lit",
  ↪  4]], ["+", ["+", ["/", ["lit", 56], ["lit", 7]], ["lit", 8]],
  ↪  ["lit", 9]]]
```

長すぎて見づらいですね。pの代わりにppという出力命令を使うことで、改行を入れて多少見やすく表示してくれます。

```
1  pp(minruby_parse("(1 + 2) / 3 * 4 * (56 / 7 + 8 + 9)"))
```

```
["*",
  ["*", ["/", ["+", ["lit", 1], ["lit", 2]], ["lit", 3]], ["lit", 4]],
  ["+", ["+", ["/", ["lit", 56], ["lit", 7]], ["lit", 8]], ["lit", 9]]]
```

絵にすればこうなります。

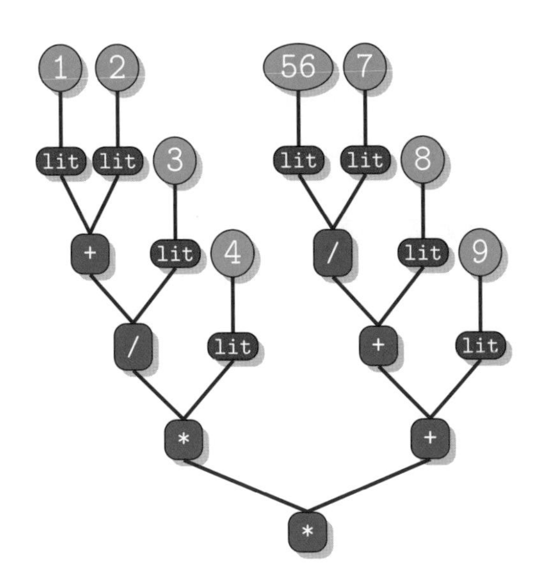

▶ 図4.10 枝が多い計算の木

"lit"を取り除いてしまえばこうです。

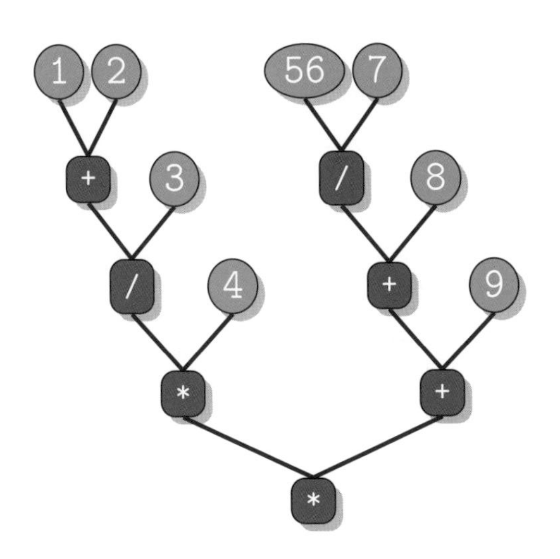

▶ 図4.11 枝が多い計算の木をシンプルに表現したもの

枝が多いだけで、おなじみの計算の木になってますね！

NOTE

ppという命令はRubyに組み込みのものではなく、minrubyライブラリが用意しているものです。より正確には、Rubyに標準で用意されているppというライブラリを、minrubyライブラリの中で読み込んでいます。

4.4 関数の引数と返り値

ところで、p(...)という出力命令やminruby_parse(...)という構文解析命令と、前章で出てきた関数のpreorder(...)は、いずれも形としては非常によく似ています。つまり、pやminruby_parse、あるいはpreorderといった「名前」と、何かしらの値を受け取るための「丸かっこ」、という形です。

```
1  名前()
```

もうお気づきの方もいるかもしれませんが、実はpやminruby_parseは特別な命令ではなく、preorderと同じように関数として定義されているものです。pはRubyが内部的に定義している関数です。minruby_parseは筆者のライブラリで定義されている関数です。

というわけで、前章では関数のことを「木をたどるための強力な道具」だと言いましたが、実は関数は木のためだけのものではありません。pやminruby_parseのように、処理や命令に名前を付けて使い回すためにも使われます。

関数は、0個以上の値を受け取り、定義された手順に従った動作をして、一般には1つの値を返します。関数が受け取る値のことを**引数**といい、返す値のことを**返り値**といいます。

次のような簡単な関数を例に、引数と返り値について見てみましょう。

```
1  def add(x, y)
2    p "Addition!"
3    x + y # 最後の行の値が返される
4  end
```

関数addは引数としてxとyを受け取り、"Addition!"と出力したあと、最後のx + yの値を計算して返します。

関数addは次のように使います。

```
1  answer = add(40, 2) #=> "Addition!"
2  p(answer)           #=> 42
```

この例では、40および2という2つの引数に対してaddを適用しています。

関数適用のことを「関数を呼ぶ」と表現することもありますが、その表現を使って言えば、「add(40, 2)と呼び出した場合、xは40、yは2なので、add(40, 2)は42を返す」というわけです。

▶図4.12 関数適用

関数として見ると、minruby_parseは引数として1つの文字列を受け取り、返り値として配列の値を1つ返します。pは、引数として1つの値を受け取り、返り値として引数をそのまま返す関数です。

では、関数の引数と返り値についてわかったところで、いよいよ計算の木を実行する関数を書いていきましょう。

4.5 足し算の木を扱う

先に示したインタプリタの流れの現状を確認しましょう。

```
1   require "minruby"
2
3   # ① 計算式の文字列を読み込む
4   str = gets
5
6   # ② 計算式の文字列を計算の木に変換する
7   tree = minruby_parse(str)
8
9   # ③ 計算の木を実行（計算）する
10  answer = ...
11
12  # ④ 計算結果を出力する
13  p(answer)
```

②の変換は、ライブラリを使ったのでminruby_parse(str)でおしまいです。

それでは本題の③を説明していきます。

まずは話を簡単にするため、足し算だけの木を考えます。たとえば(1 + 2) + (3 + 4)を考えます（図4.13）。

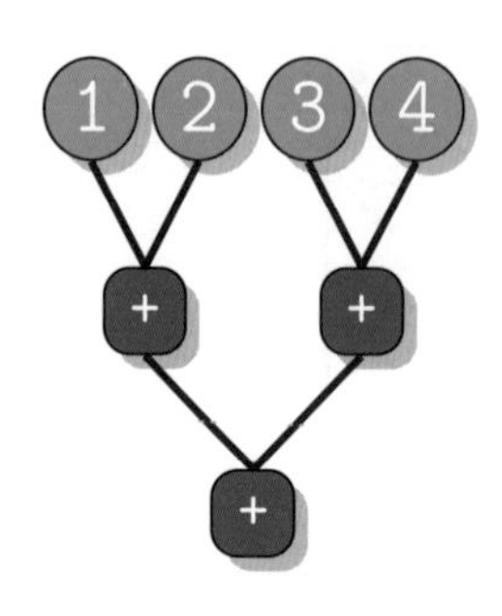

▶図4.13　足し算だけの木

この木をたどって、葉の値の合計を求める関数sumを書いていきましょう。木をたどる関数は、木の中のすべての部分木について、同じプログラムの断片を実行するのでした。sumでは、どのようなプログラム断片を書けばいいかを考えていきます。

一度に考えるとややこしいので、葉1つだけからなる部分木の場合と、節の場合に分けて考えてみます。

葉1つからなる部分木に対して関数sumが返すべき値は、その葉に入っている値そのものです。なぜなら、この部分木には値が1つしかなく、合計はその値そのものだからです。葉1つからなる部分木が変数treeに入っていると仮定します。前述のように、葉は["lit", 値]で表されます。よって、このときはtree[1]を返せばよいとわかります。このときの関数sumの定義は次のようになります。

```
1  def sum(tree)
2    tree[1]
3  end
```

それから、節からなる部分木の場合を考えます。いまは足し算しか考えていないので、この節は["+", 左の部分木, 右の部分木]という配列になっています。この部分木に対して関数sumが返すべきなのは、「左の部分木に含まれる葉の値の合計値」と「右の部分木の合計値」です。これを計算するには、いままさに定義中の関数sumを使うことができます。

```
1  def sum(tree)
2    left  = sum(tree[1])
3    right = sum(tree[2])
4    left + right
5  end
```

さて、ここまで葉の場合と節の場合で分けて考えていましたが、これらを合体させます。難しいことはありません。配列の0番めの値が"lit"か"+"かで、単純に分岐できます。

```
def sum(tree)
  if tree[0] == "lit"
    tree[1]
  else
    # ここでは tree[0] == "+"
    left  = sum(tree[1])
    right = sum(tree[2])
    left + right
  end
end
```

これで出来上がりです。この関数を使ってみましょう。

```
tree = minruby_parse("(1 + 2) + (3 + 4)")
answer = sum(tree)
p(answer) #=> 10
```

このプログラムを実行して10が出力されれば成功です。

一気に説明したので、きつねにつままれたような気分になった場合は、関数の先頭で`p(tree)`とすることで実際の部分木を見ながら動きを確認していくとわかりやすいと思います。

NOTE

関数の返り値は関数の最後の式ですが、最後に`if`文がある場合は、それぞれの分岐の最後にある値が返されます。`sum`の場合、葉の場合には`tree[1]`が、節の場合には`left + right`の計算結果が返り値です。

4.6 四則演算に対応

今度は足し算以外の演算に対応しましょう。想像するよりもずっと簡単です。単純に分岐を増やせば終わりです。たとえば、掛け算に対応します。

```
def evaluate(tree)
  if tree[0] == "lit"
    tree[1]
  else
    if tree[0] == "+"
      left  = evaluate(tree[1])
      right = evaluate(tree[2])
      left + right
    else
      # ここでは tree[0] == "*"
      left  = evaluate(tree[1])
      right = evaluate(tree[2])
      left * right
    end
  end
end
```

NOTE

もはや足し算だけではなくなったので、関数の名前をsumからevaluateに変えました。evaluateは「評価」という意味で、「実行」と同じような意味の英単語です。

同様に引き算と割り算もサポートできます。ただし、この方法を繰り返すと分岐が複雑になって見通しが悪くなるので、このようなときのためにRubyにはcase文という分岐が用意されています。これを使うと、次のように簡潔に書けます。

```
def evaluate(tree)
  case tree[0]
  when "lit"
    tree[1]
  when "+"
    left  = evaluate(tree[1])
    right = evaluate(tree[2])
    left + right
  when "-"
    left  = evaluate(tree[1])
    right = evaluate(tree[2])
    left - right
  when "*"
    left  = evaluate(tree[1])
    right = evaluate(tree[2])
    left * right
  else
    # ここでは tree[0] == "/"
    left  = evaluate(tree[1])
    right = evaluate(tree[2])
    left / right
  end
end
```

caseの直後に書かれた式を評価して、その値がwhenの後に書かれたどれかの値と一致したらそのwhenの後の命令が実行されます。どのwhenの値とも一致しなかったら、elseの後の命令が実行されます。if文と同様、case文もそれぞれの最後の式が返り値になります。

これでついに四則演算インタプリタの実行部分が書けました。インタプリタ全体のプログラムは次のようになります。

```
require "minruby"

def evaluate(tree)
  # (略)
end

# ① 計算式の文字列を読み込む
str = gets

# ② 計算式の文字列を計算の木に変換する
tree = minruby_parse(str)

```

```
13  # ③ 計算の木を実行（計算）する
14  answer = evaluate(tree)
15
16  # ④ 計算結果を出力する
17  p(answer)
```

次のように動作させてみてください。

```
C:¥ Ruby > ruby interp.rb ↵
1 + 1                                 ←入力
2                                     ←出力

C:¥ Ruby > ruby interp.rb ↵
(1 + 2) / 3 * 4 * (56 / 7 + 8 + 9) ←入力
100                                   ←出力
```

4.7 まとめ

この章では四則演算インタプリタを書きました。かなり駆け足で説明したので、おそらく消化不良になっている人も多いと思います。作成したプログラムに出力命令を追加して実行したり、練習問題を解いたりして、理解を深めてください。

次章からは、このインタプリタを拡張して、MinRubyインタプリタに仕立てていきます。第5章では、手始めに「変数」に対応させます。

4.8 練習問題

4.8.1 演算の追加

あなたのインタプリタを拡張して、剰余や累乗をサポートしてください。

Rubyでは剰余は%、累乗は**で表します。

```
1  p(8 % 3)  #=> 2
2  p(2 ** 4) #=> 16
```

ヒント：構文解析はすでに剰余や累乗に対応しています。

```
1  minruby_parse("8 % 3")
2    #=> ["%", ["lit", 8], ["lit", 3]]
```

あとは、関数`evaluate`の中に`when`を追加するだけです。

4.8.2 比較式の追加

あなたのインタプリタを拡張して、比較式をサポートしてください。

比較式とは、`1 == 1`や`1 > 1`といった、数同士が等しいか大小関係にあるかを判定する式のことです。この式を計算すると、`true`または`false`が返ります。

```
1  p(1 + 1 == 2) #=> true
2  p(1 + 1 == 3) #=> false
3  p(1 + 1 <  2) #=> false
4  p(1 + 1 <  3) #=> true
```

つまり、あなたのインタプリタを以下のように実行したとき、`true`が表示されるように`evaluate`を拡張できれば正解です。

```
1  require "minruby"
2
3  def evaluate(tree)
4    # (略)
5  end
6
7  tree = minruby_parse("2 * 3 > 2 + 3")
8  result = evaluate(tree)
9  p(result) #=> true
```

なお、`true + 1`や`true > false`のように意味のない式が与えられたときは、どのような挙動になってもかまいません。

ヒント：ややこしいですが、やることは練習問題1とまったく同じです。

4.8.3 最大の葉

木を受け取って、いちばん大きい値の葉を返す関数`max`を書いてみてください。次のように動けば正解です。

```
1  p(max(minruby_parse("1 + 2 * 3"))) #=> 3
2  p(max(minruby_parse("1 + 4 + 3"))) #=> 4
```

演算子の種類は無視してかまいません。

ヒント1：`evaluate`関数を作ったときの考え方を思い出してください。すなわち、葉1つだけからなる部分木の場合と、節の場合に分けて考えます。

ヒント2：葉1つだけの場合は、その値をそのまま返します。節の場合は、この部分木に対して関数`max`が返すべきなのは、「左の部分木に含まれる葉の最大値」と、「右の部分木に含まれる葉の最大値」の大きいほうの値ですね。

第5章

電卓に変数を導入する

by Ruby by Ruby by Ruby by Ruby by Ruby by Ruby by Ruby by Ruby by Ruby b

この章からは、第4章で作った四則演算インタプリタ（電卓）を拡張して、いよいよMinRubyインタプリタを作っていきます。

まずは、四則演算インタプリタを改造して、入力をファイルに書いて渡せるようにしましょう。本物のRubyインタプリタも、ファイルに書かれたプログラムを読み取って実行できます。最終的に作る予定のMinRubyインタプリタも、ファイルに書いたMinRubyプログラムを実行するようにしたいので、ベースにする四則演算インタプリタもそのように改造します。

そのあとで、四則演算インタプリタに**変数**を導入していきます。2.1節（11ページ）では、変数のことを、「値を覚えてくれるもの」であると説明しました。それを作るわけですから、変数と値を対応付けて覚えておくための仕組みが何かしら必要です。Rubyで使えるそのような仕組みとして、「ハッシュ」というものを学びます。

▶ 図5.1　四則演算インタプリタを拡張

5.1 ファイルから入力を読み取る

前章で作った電卓のソースコードは次のようなものでした。長ったらしくなるので少し改変しています。（何が変わったでしょう？）

```
require "minruby"

def evaluate(tree)
  case tree[0]
  when "lit"
    tree[1]
  when "+"
    evaluate(tree[1]) + evaluate(tree[2])
  when "-"
    evaluate(tree[1]) - evaluate(tree[2])
  when "*"
    evaluate(tree[1]) * evaluate(tree[2])
  when "/"
    evaluate(tree[1]) / evaluate(tree[2])
  end
end

# ① 計算式の文字列を読み込む
str = gets

# ② 計算式の文字列を計算の木に変換する
tree = minruby_parse(str)

# ③ 計算の木を実行（計算）する
answer = evaluate(tree)

# ④ 計算結果を出力する
p(answer)
```

見てのとおり、現在の四則演算インタプリタでは、ユーザが手で入力した計算式を読み込み（①）、それを計算の木にして（②）から評価し（③）、その結果を本物のRubyの関数pで出力しています（④）。

5.1.1 ソースコードを読み込むようにする

まずは、①の部分の改造です。四則演算インタプリタでは計算式をコンソールに直接打ち込んでいましたが、計算式をソースコードとしてファイルから読み込むようにしましょう。

```
# ① 計算式の文字列を読み込む
str = gets
```

としていたところを、次のように書き換えてください。

```
# ① 計算式の文字列を読み込む
str = minruby_load()
```

minruby_loadはminrubyのライブラリが提供している関数で、コマンドラインに渡されたファイルを読み込んで文字列として返します。

5.1.2 デバッグ出力関数pを実装する

次は、計算結果を出力する④の部分を改造します。

現在の四則演算インタプリタでは、計算の木を評価してから、その結果を本物のRubyのp関数を使って出力しています。しかし、ここで**四則演算言語の関数**として、式を評価して内容を表示してくれるデバッグ出力関数pを作っておくことにします。

とはいえ、関数の実装については第7章で詳しく解説するので、いまは内容を深く気にせずに、evaluateの定義の最後の部分に次のような仮の実装を入れておいてください。（かいつまんで何をしているか説明すると、木の一部として「p(なにか計算式)」を表すような節があった場合、引数である「なにか計算式」を評価した結果を本物のRubyのpで表示しています。）

```
1  def evaluate(tree)
2    case tree[0]
3    when "lit"
4      tree[1]
5    when "+"
6      evaluate(tree[1]) + evaluate(tree[2])
7    when "-"
8      evaluate(tree[1]) - evaluate(tree[2])
9    when "*"
10     evaluate(tree[1]) * evaluate(tree[2])
11   when "/"
12     evaluate(tree[1]) / evaluate(tree[2])
13   when "func_call" # 仮の実装
14     p(evaluate(tree[2]))
15   end
16 end
```

デバッグ関数pを実装したことで、プログラム自身が計算結果を出力する命令を利用可能になったので、最後に本物のRubyで結果を出力することはもう不要です。もともとの四則演算インタプリタに入れていた次の命令は消してください。

```
1  # ④ 計算結果を出力する
2  p(answer)
```

これで四則演算インタプリタに渡すソースコードの中でデバッグ出力関数pを使えるようになりました。

5.1.3 四則演算インタプリタにソースコードを渡して実行する

ここまでの改造により、ファイルをソースコードとして四則演算インタプリタに渡せば、ファイルに書かれた計算式の結果が表示されるようになりました。さっそく試してみましょう。次の1行を書いたファイルをtest.rbという名前で保存してください。

```
1 p(40 + 2)
```

そして次のように実行してみてください。

```
C:¥Ruby > ruby interp.rb test.rb ↵
42
```

念のために補足すると、test.rbは**Rubyプログラムではなく、四則演算言語で書かれたプログラム**です。四則演算インタプリタのほうは、ruby interp.rbという部分で、本物のRubyにより実行しています。

ちょっとインタプリタっぽくなってきましたね！

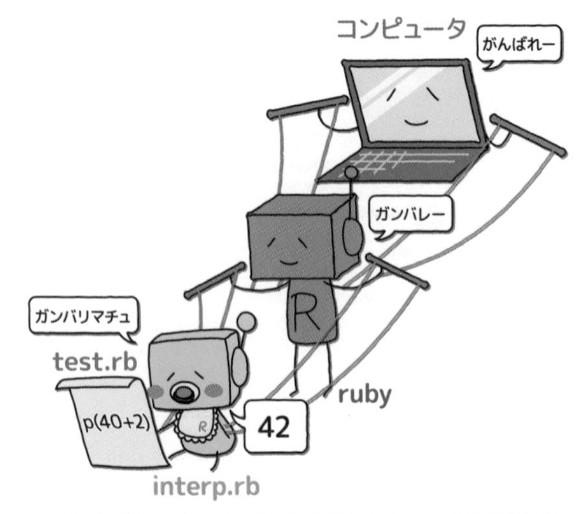

▶図5.2　インタプリタが、プログラムの書かれたファイルを読み込んで実行

5.2 複数の式を扱えるようにする（複文）

5.2.1 計算式とプログラムの違い

ここで、計算式とプログラムの違いを考えてみます。計算式は、たとえば次のような文字列で表されます。

```
1 1 + 2
```

プログラムは、たとえば次のような文字列です。

```
x = 1
y = 2
p(x + y)
```

プログラムには、計算式には出てこなかった変数や関数などが出てきます。が、実はもっと本質的な違いがあります。さらに簡単なプログラムを見てみましょう。

```
1 + 2
6 * 7
40 + 2
```

変数も関数もありませんが、これも立派なプログラムです。計算するだけで何も出力しないので、まったく無意味なプログラムではありますが、それでも計算式とは本質的に異なるところが現れています。それは「式が複数ある」ということです。

計算式は、その1つの式を実行して1つの値になったら終わりです。一方プログラムは、そのような計算式を何個も並べることができ、それらを上から順番に実行していきます。このように複数の計算式を並べたものを**複文**といいます。計算式とプログラムの大きな違いは、プログラムは全体として複文になっているという点です（なお、プログラム全体以外に、`if`文の中身や関数定義の中身も複文になっています。これらについてはおいおい出てきます）。

現状のインタプリタを改造して、単一の計算の木ではなく複文を扱うようにしていきましょう。

5.2.2 複文の抽象構文木

まず、複文とは何かを観察するため、先の無意味なプログラムを`minruby_parse`してみましょう。次のようなRubyプログラムを書いて実行してみてください（改行は見やすさのために入れているのではありません。このとおりに入力する必要があります）。

```
require "minruby"
pp(minruby_parse("
1 + 2
6 * 7
40 + 2
"))
```

次のような出力が表示されるはずです。

```
["stmts",
  ["+", ["lit", 1], ["lit", 2]],
  ["*", ["lit", 6], ["lit", 7]],
  ["+", ["lit", 40], ["lit", 2]]]
```

これらを木の図として表現すると、図5.3のようになります。

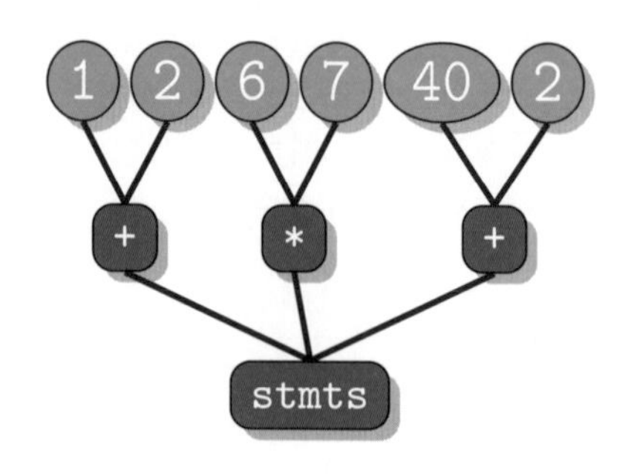

▶ 図5.3　複文の抽象構文木

計算の木が3つ並んでいます。それぞれ`1 + 2`と、`6 * 7`と、`40 + 2`です。そして、これらを束ねた`"stmts"`という名前の節が、木全体となっています。`stmts`はstatements（複文）の略です。これは、「子どもの計算の木を左から順番に計算せよ」という意味を持つ木です。

NOTE

以後、節の持つ名前のことを「ラベル」と呼ぶことにします。図5.3の木には、(+)というラベルが2つ、(*)というラベルが1つ、`stmts`というラベルが1つあります。

5.2.3 複文の実装

`evaluate`関数を拡張して、複文に対応しておきましょう。まずは`"stmts"`という節に対する`when`を追加します。現状の四則演算インタプリタ`interp.rb`の`evaluate`の最後に次のように追記してください。

```
1  def evaluate(tree)
2    case tree[0]
3    when "+"
4      # (略)
5    when "stmts"
6      # ここを埋める
7    end
8  end
```

複文の木を表す配列の0番めには`"stmts"`という文字列が入っていて、それ以降の要素に肝心の複数の文が入っています。そこで1番めから最後までを順番に処理していきます。順番に計算するには`while`文を使うのでしたね。

```
def evaluate(tree)
  case tree[0]
  when "+"
    # (略)
  when "stmts"
    i = 1
    while tree[i] != nil
      # ここを埋める
      i = i + 1
    end
  end
end
```

tree[i]はiが配列の長さを超えるとnilを返します。よって、tree[i] != nilという条件を使えば、「配列の1番めから終わりまで」という繰り返しを書くことができます。

あとは、複文の木が子どもとして持っている部分木を順次実行していけば出来上がりです。これは再帰呼び出しで実装できます（再帰について忘れてしまった人は3.3.3項を読み直してください）。

```
def evaluate(tree)
  case tree[0]
  when "+"
    # (略)
  when "stmts"
    i = 1
    while tree[i] != nil
      evaluate(tree[i])
      i = i + 1
    end
  end
end
```

なお、プログラムの場合にはあまり意味がないのですが、複文にも返り値があります。いちばん最後に実行した計算の木の返り値をそのまま返すことになっています。関数定義の本体も複文で、いちばん最後の式が返り値になることと対応しています。ついでにこれも対応しておきましょう。

```
def evaluate(tree)
  case tree[0]
  when "+"
    # (略)
  when "stmts"
    i = 1
    last = nil
    while tree[i] != nil
      last = evaluate(tree[i])
      i = i + 1
    end
    last
```

```
13      end
14    end
```

lastという変数が増えていますね。lastには、子どもの計算の木を実行するたびに、その結果を上書きで代入していっています。そのため、while文を終わったときには、最後に実行した計算の木の結果がlastに入っています。複文は、このlastの中身をそのまま返り値とします。

5.2.4 複文の実行

次のプログラムを実行してみましょう。test.rbというファイルで保存してください。

```
1  p(1 + 2)
2  p(6 * 7)
3  p(40 + 2)
```

そして次のように実行してみてください。

```
C:¥Ruby > ruby interp.rb test.rb ↲
3
42
42
```

3つの計算式の結果がそれぞれ表示されましたね！

5.3 変数を実装する

では、いよいよ変数の実装に入っていきます。

ひとくちに変数といっても、作らないといけない操作は2つあります。変数を作る「変数代入」（x = 1のような記述）と、変数を使う「変数参照」（p(x)やx + 1のような記述）です。

まずは変数を作らないと使えないので、変数代入のほうから考えていきましょう。

5.3.1 変数代入の抽象構文木

複文のときのように、minruby_parseが作る抽象構文木の姿を見ながら考えることにしましょう。次のような変数代入を含むプログラムを用意してください。

```
1  require "minruby"
2  pp(minruby_parse("
3  x = 1
4  y = 2 * 3
5  "))
```

これを実行すると、こんな抽象構文木が得られます。

```
["stmts",
  ["var_assign", "x", ["lit", 1]],
  ["var_assign", "y", ["*", ["lit", 2], ["lit", 3]]]]
```

絵にすると、右の図5.4のようになっています。左側のvar_assignの部分木がx = 1に対応し、右側の部分木がy = 2 * 3に対応します。つまり、var_assignの意味は「右側の部分木を計算した結果を、左側の変数名の変数に代入する」ということになります。

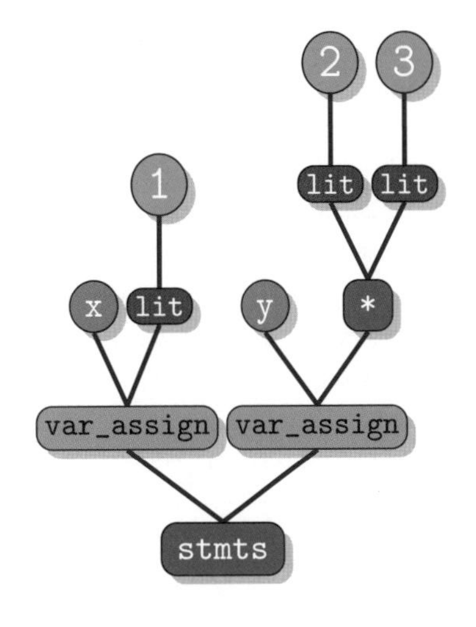

▶図5.4　変数代入の抽象構文木

var_assignの実装をしていきましょう。例によってevaluateにwhenを追加します。

```
1  def evaluate(tree)
2    case tree[0]
3    # (略)
4    when "var_assign"
5      # ここを埋める
6    end
7  end
```

さて、ここで手が止まります。どう実装したものでしょうか。

5.3.2 ハッシュ

代入は「この名前の変数に値を覚えさせろ」という、インタプリタに対する命令でした。いま私たちはインタプリタを作っているので、覚えておく立場になります。変数名という文字列と、それに対応する値を対応付けて覚えておくにはどうすればいいでしょうか。

このようなときに、**ハッシュ**という言語機能が使えます。ハッシュとはまさに、値と値の対応表のようなデータ構造です（Ruby以外では**ハッシュテーブル**や**辞書**、**連想配列**などとも呼ばれます）。

ハッシュを作るには次のように書きます。

```
1  { "foo" => 1, "bar" => 2 }
```

これで、"foo"という文字列に1という数を、"bar"という文字列に2という数を対応付けたハッシュができます。しかし、このままでは別の場所で使えないので、ふつうは次のように、変数を用意してそこに作ったハッシュを代入します。

```
hsh = { "foo" => 1, "bar" => 2 }
```

これで変数hshにハッシュが代入されました。とりあえずhshの中身をpで見てみます。

```
p(hsh) #=> {{"foo"=>1, "bar"=>2}}
```

"foo"に対応する値を読み出すには次のように書きます。

```
p(hsh["foo"]) #=> 1
```

さらに、すでにあるハッシュに新たな対応を追加したり、すでにある対応の値を更新したりすることもできます。

```
hsh = { "foo" => 1, "bar" => 2 }

# 対応を追加
hsh["answer"] = 42
p(hsh["answer"]) => 42

p(hsh) #=> {{"foo"=>1, "bar"=>2, "answer"=>42}}

# すでにある対応の値を更新
hsh["foo"] = 100
p(hsh["foo"]) #=> 100

p(hsh) #=> {{"foo"=>100, "bar"=>2, "answer"=>42}}
```

NOTE

ハッシュの値を読み出したり更新したりするときの記法は、配列で使う記法（「[」と「]」）とよく似ています。配列は、「値を並べたもので、i番めの値を自由に取り出せるもの」であり、いうなれば「自然数と値の対応表」です。ハッシュは、それを一般化して、自然数以外のものを対応の目印に使えるようにしたものだと考えられます。そう考えると、ハッシュの値の読み出しと書き込み・更新が配列のそれと同じ記法なのは、ちっとも不思議なことではありませんね。

5.3.3 環境：変数名と値の対応関係

では、ハッシュを使って、変数名と値の対応を覚えるようにしましょう。この変数名と値の対応関係のことを**環境**といいます。

環境は、evaluate関数の中で、変数を定義したり参照したりするときに使います。そのため、evaluate関数の中で常に参照できる必要があります。そこでevaluate関数の引数を増やし、その増やした引数を環境の受け渡しに使うことにします。

```
def evaluate(tree, env)
  ...（省略）...
end
```

環境は英語で「environment」なので、引数の名前はenvとしました。

evaluate関数の中では再帰的にevaluateを呼んでいるので、その部分もenv引数を取るように直す必要があります。しかしその前に、いちばん最初にevaluateを呼ぶときに渡す環境を用意しましょう。最初はどんなハッシュを環境として用意すればいいと思いますか？

```
# ③ 計算の木を実行（計算）する
env = {}
evaluate(tree, env)
```

ここでは、空のハッシュを作り、それをevaluateに渡すことにしました。これは、「このインタプリタの実行を開始するときには何の変数も定義されていない」ことを表しています。

次は、evaluate関数の中で再帰的にevaluateを呼んでいる部分を改造していきましょう。

```
def evaluate(tree, env)
  case tree[0]
  when "+"
    evaluate(tree[1], env) + evaluate(tree[2], env)
  when "-"
    evaluate(tree[1], env) - evaluate(tree[2], env)
  # (略)
  end
end
```

少し面倒くさいのですが、定義の部分をdef evaluate(tree, env)と書き換えるだけでなく、evaluate関数を再帰呼び出しする全箇所で、受け取った環境をそのまま渡す必要があります。いわばバトンリレーですね。このようにすることで、evaluate関数の中で常に、その時点でのenvが参照できるようになります。

NOTE

envをいじらずにそのまま渡すだけということは、その演算が環境に依存しないことを意味します。たとえば、足し算自体は、何かの変数の値に依存して挙動を変えたり、何かの変数を書き換えたりしません。上記の定義のwhen "+"に対応する部分では、env

に手を加えずにそのまま再びevaluateに渡していますが、これがまさに、変数を書き換えないという足し算自体の性質を表しているといえます。

5.3.4 変数代入を実装する

環境を受け渡す仕組みが整ったところで、ようやく変数代入を実装できるときがきました。

```
1  def evaluate(tree, env)
2    case tree[0]
3    # (略)
4    when "var_assign"
5      # ここを埋める
6    end
7  end
```

この穴を埋めます。変数代入の木は["var_assign", 変数名, 式]という形だったので、tree[1]は変数名、tree[2]は式を表す部分木です。まず、式を表す部分木を実行して値にします（再帰呼び出しですね！）。その結果を、変数名に対応する値としてハッシュに書き込みます。

```
1  def evaluate(tree, env)
2    case tree[0]
3    # (略)
4    when "var_assign"
5      env[tree[1]] =
         ↪  evaluate(tree[2], env)
6    end
7  end
```

これで、ついに変数代入が実装できました。

▶図5.5　変数を作って代入

5.4 変数参照を実装する

代入は実装できたので、次は参照を実装しましょう。やはり、まずは変数参照を含む次のプログラムをminruby_parseして、抽象構文木がどんな姿になるのかを見てみましょう。

```
require "minruby"
pp(minruby_parse("
x = 1
y = 2 + x
"))
```

これを実行すると、こんな抽象構文木になりました。

```
["stmts",
  ["var_assign", "x", ["lit", 1]],
  ["var_assign", "y", ["+", ["lit", 2], ["var_ref", "x"]]]]
```

絵にすると、図5.6のようになります。左のvar_assignは先に出てきたものと同じです。右のvar_assignも似ていますが、右上にvar_refという木ができています。これが変数参照を表しています。ここでは、xという変数名の変数が覚えている値を返す、という意味です。

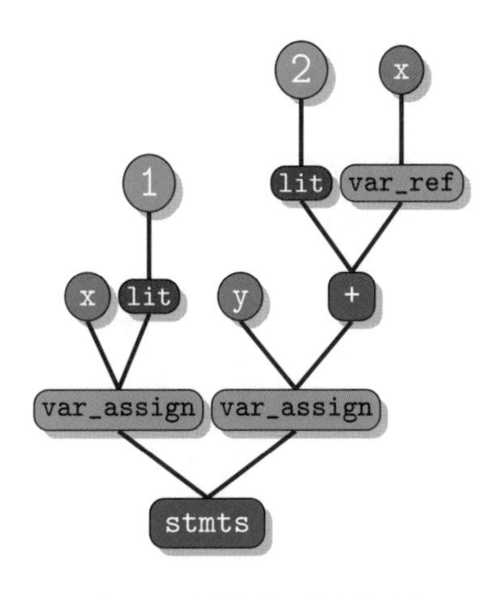

▶ 図5.6 変数参照の抽象構文木

var_refを実装していきます。といっても、環境のハッシュの中で、変数名に対応する値を読み出すだけです。変数名はtree[1]に入っているので、それに対応する値をenvから取り出せばOK。

```
def evaluate(tree, env)
  case tree[0]
  # (略)
  when "var_ref"
    env[tree[1]]
  end
end
```

これで変数参照も実装できました。

NOTE

51ページでは「とりあえず気にするな」と言っていたlitですが、ここで初めてlit以外で終わる葉が出てきたので、簡単に説明します。

litは、literal（リテラル）の略で、リテラルとは、返すべき値そのものを書き記したもののことです（literalは「文字どおりの」という意味の英単語です）。つまり、x =

42やp(42)の中の42の部分がリテラルです。リテラルは数値に限らず、たとえばs = "こんにちは"の"こんにちは"の部分も文字列のリテラルです。

5.5 動作確認

では、変数代入と変数参照を使ったプログラムを動かしてみましょう。次のプログラムをtest.rbというファイル名で保存して、ruby interp.rb test.rbと実行して3が出れば成功です。

```
1  x = 1
2  y = x + 2
3  p(y)
```

動きましたか？

5.6 まとめ

四則演算と複文と変数のあるプログラムを実行できるインタプリタを実装しました。現状のソースコードを全部載せておきます。

```
1  require "minruby"
2
3  def evaluate(tree, env)
4    case tree[0]
5    when "lit"
6      tree[1]
7    when "+"
8      evaluate(tree[1], env) + evaluate(tree[2], env)
9    when "-"
10     evaluate(tree[1], env) - evaluate(tree[2], env)
11   when "*"
12     evaluate(tree[1], env) * evaluate(tree[2], env)
13   when "/"
14     evaluate(tree[1], env) / evaluate(tree[2], env)
15   when "func_call"  # 仮の実装
16     p(evaluate(tree[2], env))
17   when "stmts"
18     i = 1
19     last = nil
20     while tree[i]
21       last = evaluate(tree[i], env)
22       i = i + 1
23     end
24     last
25   when "var_assign"
26     env[tree[1]] = evaluate(tree[2], env)
27   when "var_ref"
28     env[tree[1]]
29   end
30 end
31
```

```
32  # ① 計算式の文字列を読み込む
33  str = minruby_load()
34
35  # ② 計算式の文字列を計算の木に変換する
36  tree = minruby_parse(str)
37
38  # ③ 計算の木を実行（計算）する
39  env = {}
40  evaluate(tree, env)
```

ここまでのおさらいをかねて、この現状のインタプリタを詳しく見てみましょう。

1. 最初に定義している evaluate 関数が、木をたどる関数
2. 変数 tree に代入した minruby_parse の結果が、抽象構文木
3. 変数 env に代入した空のハッシュが、環境の初期状態
4. 最後の evaluate(tree, env) で、2の抽象構文木と3の環境を指定して実行開始

そして evaluate 関数は、見かけは長いですが、1つの大きな case 文になっています。つまり、このインタプリタは、木の節（tree[0]）に応じた条件分岐のかたまりにすぎません。

たとえば、節が"+"だったら、その先に2つあるはずの部分木を足し合わせます。部分木がすぐに葉（しかもリテラル）ならいいのですが、そうとは限らないので、そこで2つの部分木に対して再帰的に evaluate を使っています。そんなふうに再帰的に木をたどっていくと、どの部分木もいつかはリテラルな葉（lit）に行きつくので、そのときは葉の値（tree[0]）を単純に返します。

次章では、このインタプリタで分岐のあるプログラムを実行できるようにしていきます。

while 文の条件について補足

いままでは、while 文の条件を書くとき、while tree[i] != nil というように「nil でない」ことを明確に書いていました。しかし、上記のインタプリタでは、省略して while tree[i] と書いてしまっています。

詳しくは次章で説明しますが、if 文の条件部分には通常比較式を書きます。if 文は、この式の評価結果の「真偽」を見て分岐する方向を変えます。Ruby では、false と nil の値を「偽」として扱い、それ以外の値すべてを「真」として扱います。

よって、while tree[i] != nil と while tree[i] はほとんど同じ意味になります（tree[i] が nil の場合とそれ以外の場合で評価結果を考えてみてください）。tree[i] が false になる場合のみ挙動が異なりますが、抽象構文木の節の部分に false がいきなり現れることはないので、この本の使い方の範囲では、実質的には同じ意味です。

5.7 練習問題

5.7.1 現状のインタプリタで変数をおさらい

第1章と第2章（変数のみ）のプログラムを現状のインタプリタで動かしてみてください。たとえば、第2章で登場した次のcalc2.rbを、

```
1  answer = (1 + 2) / 3 * 4 * (56 / 7 + 8 + 9)
2  p(answer)
```

こんなふうに実行してみましょう。期待どおりの結果になるでしょうか？

```
C:¥ Ruby > ruby inter.rb calc2.rb ↵
```

5.7.2 足し算のカウント

足し算を実行した回数を返す特殊な変数plus_countを追加してみてください。次のように動けば正解です。

```
1  plus_count = 0
2  x = 1 + 2 + 3
3  p(plus_count) #=> 2
4  x = 1 + 2 + 3
5  p(plus_count) #=> 4
```

ヒント：evaluateの中で足し算を処理するところでは、envは単にたらいまわしするだけでした。そのときにplus_countをカウントアップさせればOKです。

NOTE

プログラムの高速化を考えるとき、どういう種類の計算をどのくらい行っているかを数えたくなることが多々あります。これを行うツールを**プロファイラ**といいます。プロファイラの指標や実装には非常にさまざまな方法がありますが、このように興味のある処理を実行した回数を数える特殊な変数を入れるのは、もっとも原始的なプロファイラであるといえます。

5.7.3 デバッグのコツ

evaluateの再帰呼び出しに与える部分木を間違えると、よくわからないエラーが発生すると思います。そんなときはevaluateの最初にpp(tree)を入れ、どこでエラーが起きているかを調べるといいのですが、普段はそのようにすると大量の出力が出て煩わしいでしょう。そこで、evaluateがどのように扱っていいかわからない節に出会ったとき、そのことを報告させるようにするとよいでしょう。これを実装して

みてください。

ヒント：case文には、どのwhen節にもマッチしなかった場合に実行すべき処理を示すelse節を書くことができます（4.6節を参照）。これを利用してください。

第6章

分岐を実装する

by Ruby by Ruby by Ruby by Ruby by Ruby by Ruby by Ruby by Ruby by Ruby by

この章では、変数付き四則演算インタプリタを拡張して、分岐を実装します。具体的には、抽象構文木で`if`文や`while`文に相当する節が出てきたときに何をすればいいかを、インタプリタに教えてあげます。

▶ 図6.1　インタプリタに分岐を教える

`if`文と`while`文を実装するということは、このインタプリタで条件分岐があるプログラムを実行できるようになるということです。ここまでくれば、もういっぱしのプログラミング言語のインタプリタを実装しているぞ、と公言してもいいでしょう。そこで以降では、「四則演算インタプリタ」という呼び方をやめて、このインタプリタを正式に「**MinRubyインタプリタ**」と呼ぶことにします。

6.1 if文を実装する

それではMinRubyインタプリタにif文を実装していきます。目標は次のMinRubyプログラムを動かせるようにすることです。

```
1  if 0 == 0
2    p(42)
3  else
4    p(43)
5  end
```

まずは、このMinRubyプログラムの抽象構文木がどのような姿になるか、いままでと同様にminruby_parseを使って確かめてみましょう。次のプログラムをファイルに書いて、experiment4.rbという名前で保存してください。

```
1  require "minruby"
2  pp(minruby_parse("
3  if 0 == 0
4    p(42)
5  else
6    p(43)
7  end
8  "))
```

これをRubyで実行すれば抽象構文木のようすを確認できます。

```
["if",
 ["==", ["lit", 0], ["lit", 0]],
 ["func_call", "p", ["lit", 42]],
 ["func_call", "p", ["lit", 43]]]
```

絵に描くと、図6.2のような木です。「if」という新しいラベルが増えていますね。一見すると難しくなってきたように見えるかもしれませんが、if文の意味を思い出しながら眺めれば単純です。if文の意味は、

1. まず条件式を評価する
2. trueだったらifの直後のコードを評価する
3. falseだったらelse以降のコードを評価する

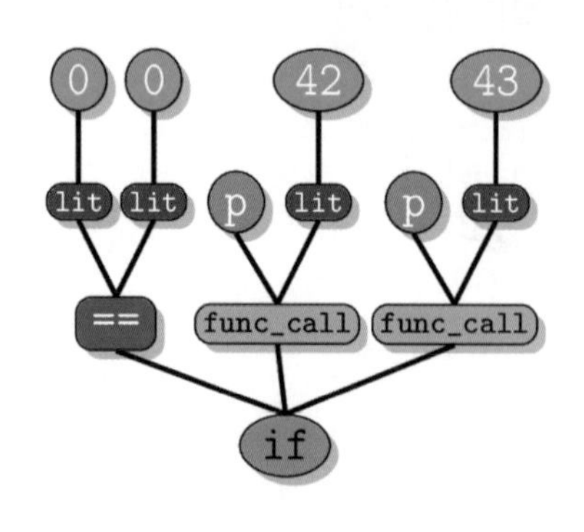

▶図6.2　if文の抽象構文木

というものでしたね。そう思ってこの抽象構文木を見れば、要は次のような構造をしているのだとわかるはずです。

```
["if",
  条件式,
  条件式がtrueの場合に実行するコード,
  条件式がfalseの場合に実行するコード]
```

では、このような構造の木をどうやってRubyで処理し、MinRubyの`if`文を実装すればいいでしょうか？

当たり前ですが、これは分岐です。そして、Rubyで分岐をするには`if`文を使うのでした。Rubyの`if`文を使って、この構造をプログラムに落としこんでみましょう。

部分木の評価は`evaluate(tree[1], env)`のようにすればいいので、次のように素直に書けます。

```
1  def evaluate(tree, env)
2    case tree[0]
3    when "if"
4      if evaluate(tree[1], env)
5        evaluate(tree[2], env)
6      else
7        evaluate(tree[3], env)
8      end
9    ...(略)...
10   end
11 end
```

きつねにつままれたような気分かもしれませんが、これだけでちゃんと動きます。最初に目標にした次のプログラムを実際に動かしてみてください。

```
1  if 0 == 0
2    p(42)
3  else
4    p(43)
5  end
```

▶ 図6.3　ifの実装

NOTE

このMinRubyプログラムは比較式を使っているので、第4章の練習問題（59ページ）を解いておく必要があります。どうしてもわからなかったら9.3.4節を参照してください。

この`if`文の実装では、特に環境をいじっていないことに注目してください。変数

envを単にevaluateの引数として横流ししているだけで、環境の中身を読み出したり変更したりはしていません。if文で分岐の方向を変えるのには変数の値を（通常は）使うので、これはちょっと不思議に思うかもしれません。

しかしよく考えてみると、変数を参照するのは条件式（比較式）であり、if文そのものは、比較式の評価結果を見て分岐の方向を決定しているだけです。つまりif文自体は変数を参照するわけではないのです。実際、上記のプログラムでは、0 == 0という変数参照を含まない比較式を使っています。

6.2 ちょっと寄り道：インタプリタとは

「ifを実装するのにif文を使うのってインチキなのでは？」と思うかもしれません。でも、これこそがインタプリタの本質です。

インタプリタとは、言語Xで書かれたプログラムを実行する、言語Yで書かれたプログラムです（実装しようとしている言語Xを「ターゲット言語」、インタプリタの実装に使っている言語Yを「ホスト言語」といいます）。たとえば本物のRubyインタプリタは、Ruby言語で書かれたプログラムを実行する、機械語（コンピュータが直接解釈できる言語）で書かれたプログラムです。本物のRubyインタプリタでは、Rubyプログラムのif文を機械語のif文（に相当する言語機能）で実装しています。

同様に、MinRubyインタプリタは、MinRuby言語で書かれたプログラムを実行する、Rubyで書かれたプログラムです。なので、MinRubyプログラムのif文をRubyのif文で実装したわけです。

インタプリタの本質は、ターゲット言語の言語機能を、ホスト言語の言語機能に丸投げすることです。if文の実装では、非常に綺麗に丸投げできました。しかし、すべての言語機能が常に丸投げできるわけでもありません。ホスト言語には存在しない言語機能をターゲット言語に持たせる場合は、ホスト言語の言語機能を組み合わせて実装する必要があります。また、前章で実装した変数のように、単純な丸投げが難しい場合もあります。

ついでに言うと、この本ではMinRubyの数値やtrue/false/nilなどの値を、そのままRubyの対応する値として流用しています。しかし、そうしなければならないわけではありません。たとえば、MinRubyの5という数字を、Rubyの-5を使って表すことにしてもかまいません。あるいは、["num", 5]という配列で表すということにしてもかまいません。しかしそれでは話がむやみに複雑になるので、Rubyの対応する値をそのまま使っています。

6.3 while文を実装する

MinRubyの分岐はif文だけではありませんでした。次はwhile文を実装しましょう。

と言っても、実はif文とほとんど同じ要領で実装できます。while文の実装をまるまる練習問題にしようかと迷ったくらいなので、自信のある人は続きを読む前にちょっと考えてみてください。

実装を考えるときの目標にするのは次のサンプルプログラムです。

```
1  i = 0
2  while i < 10
3    p(i)
4    i = i + 1
5  end
```

このプログラムの抽象構文木をいつものように表示してみると次のような姿をしていることがわかります。

```
["stmts",
 ["var_assign", "i", ["lit", 0]],
 ["while",
  ["<", ["var_ref", "i"], ["lit", 10]],
  ["stmts",
   ["func_call", "p", ["var_ref", "i"]],
   ["var_assign", "i", ["+", ["var_ref", "i"], ["lit", 1]]]]]]
```

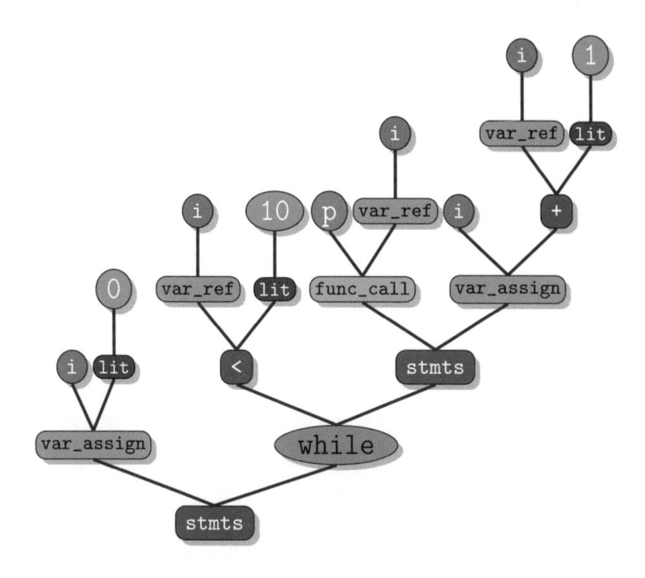

▶ 図6.4 while文の抽象構文木

新たに登場したラベルは"while"です。

while文の抽象構文木も、意味を考えながら眺めれば見た目ほど難しくはありません。

```
["while",
 条件式,
 ループ内のコード本体]
```

では、MinRubyのwhile文をRubyで実装していきましょう。if文と同様、while文も「Rubyのwhile文」を使って実装できます。

```
1  def evaluate(tree, env)
2    case tree[0]
3    when "while"
4      while evaluate(tree[1], env)
5        evaluate(tree[2], env)
6      end
7    ...(略)...
8    end
9  end
```

これでおしまいです。目標として使ったサンプルプログラムを動かしてみてください。0から9まで表示されましたか？

6.4 case文は？

もう1つ、MinRubyにはcase文という分岐もありました。次のサンプルプログラムを目標にしながらcase文も実装してみましょう。

```
1  case 42
2  when 0
3    p(0)
4  when 1
5    p(1)
6  else
7    p(2)
8  end
```

このプログラムの抽象構文木はこうなります（図6.5）。

```
["if",
 ["==", ["lit", 42], ["lit", 0]],
 ["func_call", "p", ["lit", 0]],
 ["if",
  ["==", ["lit", 42], ["lit", 1]],
  ["func_call", "p", ["lit", 1]],
  ["func_call", "p", ["lit", 2]]]]
```

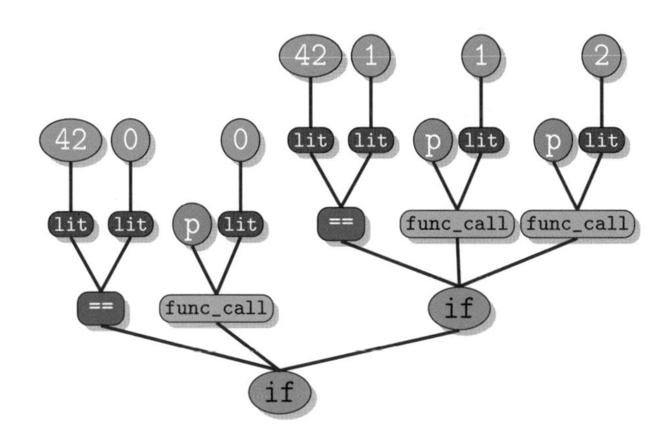

▶ 図6.5 case文の抽象構文木

あれ、新しいラベルがありませんね？ この抽象構文木を見る限り、このcase文は次のif文によるプログラムとまったく同じです。

```
if 42 == 0
  p(0)
else
  if 42 == 1
    p(1)
  else
    p(42)
  end
end
```

ということで、MinRubyのcase文のために新たに実装することは何もありません。現状のMinRubyインタプリタで先ほどのcase文のプログラムを実行してみてください。

にしても、同じ抽象構文木になってしまうというのに、case文なんて必要なんでしょうか？ if文だけあればいいのではないでしょうか？

確かに、抽象構文木が同じなのだから、MinRubyを実装するために使っているRubyから見ればif文もcase文も同じです。minruby_parseは、case文を見たらif文の入れ子として抽象構文木を作って返すようにできています。

しかし、プログラムの書き方や見た目が違うのは、MinRubyプログラムを書く人間にとっては大きな違いがあります。ifの入れ子が深くなれば、分岐の条件を間違える可能性も高くなるでしょう。そんなときにcase文を使ってすっきり書けるような例もたくさんあるのです。

このように、構文解析の段階で他の言語機能を使ったプログラムに変換して扱うものを**糖衣構文**や**構文糖**といいます。文字どおり、口当たりのよい構文で他の構文をくるむというわけです。

▶図6.6　caseは糖衣構文

NOTE

本書では糖衣構文を紹介するためにMinRubyのcase文を糖衣構文として実装しましたが、本当のRubyのcase文は単純な糖衣構文ではありません。

6.5 まとめ

ここまでで、四則演算と変数、それに分岐とループのあるプログラムを実行できるMinRubyインタプリタを実装しました。現状のソースコードを全部載せておきます。

```
1  require "minruby"
2
3  def evaluate(tree, env)
4    case tree[0]
5    when "lit"
6      tree[1]
7    when "+"
8      evaluate(tree[1], env) + evaluate(tree[2], env)
9    when "-"
10     evaluate(tree[1], env) - evaluate(tree[2], env)
11   when "*"
12     evaluate(tree[1], env) * evaluate(tree[2], env)
13   when "/"
14     evaluate(tree[1], env) / evaluate(tree[2], env)
15   when "func_call"  # 仮の実装
16     p(evaluate(tree[2], env))
17   when "stmts"
18     i = 1
19     last = nil
20     while tree[i]
21       last = evaluate(tree[i], env)
22       i = i + 1
23     end
24     last
25   when "var_assign"
26     env[tree[1]] = evaluate(tree[2], env)
```

```
27      when "var_ref"
28        env[tree[1]]
29      when "if"
30        if evaluate(tree[1], env)
31          evaluate(tree[2], env)
32        else
33          evaluate(tree[3], env)
34        end
35      when "while"
36        while evaluate(tree[1], env)
37          evaluate(tree[2], env)
38        end
39      end
40    end
41
42    # ① プログラムの文字列を読み込む
43    str = minruby_load()
44
45    # ② プログラムの文字列を抽象構文木に変換する
46    tree = minruby_parse(str)
47
48    # ③ 抽象構文木を実行（計算）する
49    env = {}
50    evaluate(tree, env)
```

ここまでくれば、もう「プログラミング言語処理系を作った」といっても過言ではありませんが、まだ1つ、重要な機能が欠けています。それは関数です。次章からは、この本で最大の難関になる、関数の実装に入っていきます。

6.6 練習問題

6.6.1 帰ってきたFizzBuzz

第2章の練習問題で書いたFizzBuzzプログラムをMinRubyで動かしてみてください。

また、`if`文や`while`文を使う好きなプログラムを書いて、MinRubyとRubyの両方で動かしてみてください。たとえば、階乗を計算するプログラム（`1 * 2 * 3 * ...`を計算するプログラム）や、素数を順番に出力するプログラム（2、3、5、7、11...と表示するプログラム）などが書けると思います。

6.6.2 `begin ... end while`の実装

本物のRubyには2種類の`while`文があります。1つは、本文で述べた`while`文です。

```
1    i = 10
2    while i > 0
3      p(i)
4      i = i - 1
5    end
```

もう1つは、begin ... end whileで条件が後に書かれるwhile文です。

```
i = 10
begin
  p(i)
  i = i - 1
end while i > 0
```

これら2つのプログラムは同じ動きをします。

違いは、最初に条件判定を行うかどうかです。ふつうのwhile文はまず最初に条件判定を行いますが、begin ... end while文は最初の条件判定を行いません。最初のi = 10をi = 0やi = -1に置き換えると違いがわかります。

begin ... end whileをMinRubyに実装してみましょう。

ヒント1：上記のサンプルプログラムをminruby_parseすると、while2というラベルが出てきます。これを実装してください。

ヒント2：ふつうのwhile文を実装したときと同じように、begin ... end while文自身を使って実装するのでもよいですが、ふつうのwhile文を使ってbegin ... end while文を実装してみると、両者の違いをよりいっそう理解できると思います。

6.6.3 case文の意味

MinRubyのcase文とRubyのcase文の意味の違いを見るために、次のプログラムをMinRubyとRubyの両方で実行して、挙動の違いを確認してください。

```
case p(42)
when 0
  p(0)
when 1
  p(1)
else
  p("others")
end
```

そして、MinRubyでは何が起きているか、どうしてこのような違いが起きたかを考えてみてください。

ヒント：関数pは引数の値をそのまま返り値とします。

第7章

組み込み関数を実装する

by Ruby by Ruby by Ruby by Ruby by Ruby by Ruby by Ruby by Ruby by Ruby by

ここまでに完成したのは、四則演算ができて、変数を扱えて、分岐やループがあるプログラムを実行できるインタプリタです。そのインタプリタを使って、それなりにプログラムらしいプログラム、たとえばFizzBuzzのようなプログラムを書いて実行する段階までこぎつけました。ここまでくれば、どんなプログラムだって書けそうに思えるかもしれません。

しかし、現状のインタプリタで現実的に書けるプログラムは、実はFizzBuzzくらいが限界です。さらに複雑なプログラム、それこそインタプリタのようなプログラムを書くには、まだまだ足りない機能がたくさんあります。

そのような機能のうち、それなりに複雑なプログラムを書くときに特に必須になるのは「**関数**」です。関数がないと、この本ではすっかりおなじみの「木をたどるプログラム」すら簡単には書けませんでしたね。

そこで次はMinRubyインタプリタに関数を実装していきましょう。この本でいちばんの難所になると思うので、ちょっと気合いを入れて読んでください。

関数の実装を終えてしまえば、これまで出てきた「Rubyの機能」がだいたい実装できたことになります（残るは配列とハッシュくらいです）。つまり、目標としてきたMinRubyインタプリタの完成までもう一息です。さらに言うと、本物のRubyインタプリタの代わりにMinRubyインタプリタ自体を使ってMinRubyインタプリタを実行する、そんな不思議な世界までもう一歩です！

7.1 ユーザ定義関数と組み込み関数

ひとくちに関数と言っても、実は2種類あります。1つは、`def`から始まる文を使って自分で定義する関数です。これは「ユーザ定義関数」と呼ばれます。3.3節で学んだのは、このユーザ定義関数です。

もう1つは、インタプリタに最初から用意されている「組み込み関数」です。組み込み関数も、実は初めて見るものではありません。1.4節から何度となく使ってきた`p`は、本物のRubyに最初から用意されている組み込み関数の1つです。

`p`は、Rubyに最初から定義されている点を除けば、ユーザ定義関数となんら変わるところがないただの関数です。ここまでの説明では、説明をぼかして「命令」のような呼び方をしていましたが、関数と違う何か特別なものというわけではありません。

インタプリタに実装するという観点では、関数を定義する部分と、関数を使う部分の両方を実装しないといけないユーザ定義関数のほうが少しだけ説明する内容が多いので、まずは組み込み関数のほうから実装していきます。

7.2 関数の環境

3.3節でユーザ定義関数を学んだときは、定義する関数に名前を付けて、その名前をプログラムの中で使いました。組み込み関数にも、たとえばpのような名前が付いていて、使うときにはその名前で呼び出します。ということは、インタプリタには、関数の名前とその中身とを一緒に覚えておく仕組みが必要だということです。

インタプリタで名前と中身の対応を覚えておく仕組みといったら、5.3.3節で学んだ**環境**です。変数の環境は、変数名と値とを対応付けるハッシュでした。同じように、関数の環境は、関数名と関数定義を対応付けるハッシュです。

5.3.3節では、MinRubyインタプリタに変数を実装するため、evaluateの引数にenvという名前を付けた環境を追加しました。関数名を管理する環境もevaluateの引数に追加すればいいのですが、変数の環境と区別できなければなりません。関数の環境にはgenvという別の名前を付け、変数の環境もenvからlenvという名前に改名しておきましょう。

```
1  def evaluate(tree, genv, lenv)
2    case tree[0]
3    ...(略)...
4    when "+"
5      evaluate(tree[1], genv, lenv) + evaluate(tree[2], genv, lenv)
6    when "-"
7      evaluate(tree[1], genv, lenv) - evaluate(tree[2], genv, lenv)
8    ...(略)...
9    end
10 end
```

上記では一部だけを示していますが、evaluateの中でevaluateを再帰的に呼んでいる箇所をすべて変更してください。これでMinRubyインタプリタに関数を導入する準備ができました。

7.2.1 自前のpを組み込む

さっそく組み込み関数pをMinRubyインタプリタに追加してみましょう。genvに、関数名"p"に対応するエントリを最初から入れておくだけです。（lenvのほうは、いままでのenvと同様に空のままでかまいません。）

▶ 図 7.1 関数名を管理する環境を用意する

```
1  genv = { "p" => ["builtin", "p"] }
2  lenv = {}
3  evaluate(tree, genv, lenv)
```

"p"が関数名、["builtin", "p"]が関数pの決め打ちの定義です。

"builtin"というのは、この関数定義が「組み込み関数」であることを表す印です。当然、「ユーザ定義関数」に対応する印もありますが、それは次章でユーザ定義関数を実装するときにお話しします。

関数定義の中身のほうに出てくる"p"は、定義されるMinRubyの関数と同じ名前なので紛らわしいかもしれませんが、本物のRubyのほうの関数pを表しています。つまり、この関数定義は、「MinRubyで組み込み関数pを呼んだときの処理は、本物のRubyの関数pに実行させる（つまり丸投げする）」という意味です。（「そんなのいかさまだ！」と感じたなら、6.2節を読み直しましょう。）

NOTE

MinRubyでは、変数の環境と関数の環境を別にしました。これは、本物のRubyがそうなっているからです。
変数名と関数の環境が違うということは、同じ名前の変数と関数が同居できるということを意味します。つまりRubyでは、

```
1  def foo(x, y)
2    x + y * 2
3  end
4
5  foo = foo(1, 1)               # 1 と 1 を関数 foo に与えて、
6                                # 返り値を変数 foo に入れる
7  foo = foo(foo, foo(1, 1))     # 変数 foo と、関数 foo(1, 1)
8                                # の返り値を関数 foo に与えて、
9                                # その返り値を変数 foo に上書きで入れる
10 p(foo)                        # 変数 foo を出力する
11                               # （何が出力されるでしょうか？）
```

というようなプログラムが書けてしまいます。ややこしいですね。
一方、PythonやC言語などでは変数と関数の環境が同一です。つまり、同名の変数と関数は同居できません。同名の変数と関数が同居できない言語のことを、俗にLisp-1と呼んでいます。同居できる言語はLisp-2です。もともとLISPというプログラミング言語の方言を分類する言葉だったのでこんな呼び方になっていますが、他の言語について言及するときもそのまま使われています。

▶ 図7.2　変数fooと、関数foo(1, 1)の返り値を関数fooに与えて、その返り値を変数fooに上書きで入れる

7.3 関数呼び出しを実装する

ここまでやったことを整理しておきましょう。

1. 関数の環境を用意した
2. その環境に、組み込み関数を追加した（いまのところpのみ）

次は、組み込んだ関数pをプログラムで使えるようにする必要があります。つまり、関数pがプログラムに出てきたときにMinRubyインタプリタがそれを評価できるように、evaluateにルールを書いていきます。

いままでと同様に、まずは関数呼び出しの抽象構文木を見てみましょう。それを見ながら実装を考える作戦です。

```
1  pp(minruby_parse("p(1)"))
2    #=> ["func_call", "p", ["lit", 1]]
3  pp(minruby_parse("p(1, 2)"))
4    #=> ["func_call", "p", ["lit", 1], ["lit", 2]]
```

いままで本物のRubyの組み込み関数pには引数を1つしか渡してきませんでしたが、実はpは上記の2つめの例のように複数の引数が取れることになっていて、その場合には引数として渡した各値が行区切りで出力されることになっています。

絵にすると、それぞれ次のとおり。

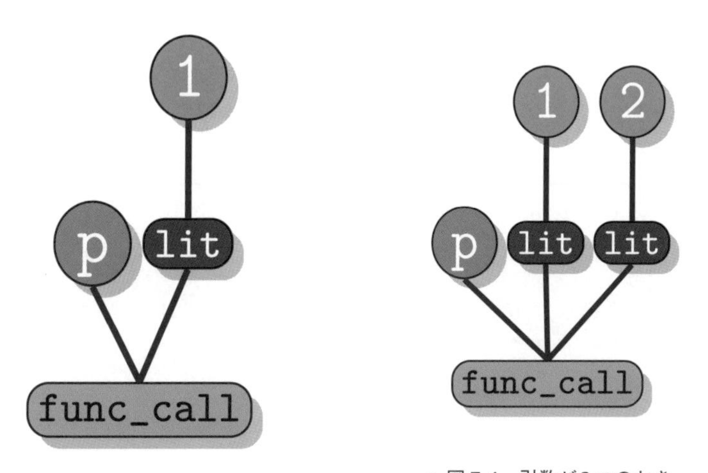

▶ 図7.3 引数が1つのとき

▶ 図7.4 引数が2つのとき

関数呼び出しの抽象構文木は、["func_call", 関数名, 引数 (, さらに引数が続く場合もある...)]という構造になっているようです。ということは、evaluateのcase文に、"func_call"というラベルに対応する処理を書けばよさそうですね。

ところが、5.1.2節で、"func_call"というラベルに対応する部分にはすでに以下のような仮実装をデバッグのために入れていました。

```
def evaluate(tree, genv, lenv)
  case tree[0]
  when "func_call"
    p(evaluate(tree[2]), genv, lenv) # 仮実装
  ...(略)...
  end
end
```

この仮実装では、「ラベルが"func_call"のときに、抽象構文木の3つめの枝（先ほどの例だと["lit", 1]）を評価した結果を、Rubyのpで表示する」という動作になっています。この動作は、「MinRubyのpに引数を1つだけ渡した場合」にそうなっていてほしい結果ですよね？

つまり、ある意味でこの仮実装は、「pという名前の関数に引数を1つだけ渡す場合」に特化した関数呼び出しの実装になっていたといえます。この仮の実装を、しかるべき数の引数を伴って呼び出されたどんな関数に対してもきちんと動作する実装にしていきましょう。

7.3.1　引数をすべて評価する

まずは引数の評価の改修です。関数によっては、1つだけでなく複数の引数を指定できると便利なこともあるでしょう。先ほどの抽象構文木を見ると、複数の引数はtree[2]、tree[3]、...の位置に入るので、まずはwhile文を使って各引数を順番にevaluateしていくようにします。

```
def evaluate(tree, genv, lenv)
  case tree[0]
  when "func_call"
    args = []
    i = 0
    while tree[i + 2]
      args[i] = evaluate(tree[i + 2], genv, lenv)
      i = i + 1
    end
    # 埋める
  ...(略)...
  end
end
```

各引数の評価結果は、argsという配列へ順番に入れるようにしました。

NOTE

ここでは、引数を前から順番に評価しています。Rubyの場合、引数が複数あるときは前から評価されると決められているので、この実装でもそれに従っています。たとえばfoo(bar(), baz())というコードがあったら、「まず関数barが呼ばれ、次に関数bazが呼ばれる」というようにRubyの言語仕様で定められているのです。

なお、世の中には引数の評価順序が決められていない（「不定」）という言語もあります。代表的なところではC言語がそのような言語です。この場合、インタプリタの実装では自由な順序で引数を評価してかまいません。
一方、その言語のプログラマは、どのような順序で評価されても動くようにプログラムを書く義務があります。あるインタプリタの実装で前から順番に引数が評価されるからといって、その評価順序に強く依存するようなプログラムを書いたら、それはその言語の妥当なプログラムとは言えないのです。
言語の振る舞いを規定する「言語仕様」と、実際に動かせるインタプリタの「実装」とは、常に一致しているとは限りません。このことはプログラミング言語を学ぶときには常に心に留めておいてください。たとえば、この本のテーマは「Rubyインタプリタの開発を通してRuby言語を学ぼう」ですが、その逆の「（すでにある）Rubyインタプリタの動作からRuby言語を学ぶ」のは危険だといえます。なぜなら、何かしら不定な動作があって、あるインタプリタを実際に動かして得られた結果は、そのインタプリタの実装者が自由に決めた結果かもしれないからです。

7.3.2 組み込まれている定義を環境から取ってくる

次に、関数名を管理している環境genvから、評価すべき関数の定義を引っ張ってきます。genvは次のような形をしたハッシュでした。

```
1  genv = { 《関数名》 => ["builtin", 《本物のRubyにおける関数の名前》] }
```

ハッシュからエントリの値を取り出すには、たとえばgenv["p"]のようにすればよいのでした（忘れた人は5.3.2節を見ましょう）。いま、genvから定義を引っ張り出してきたい関数の名前は、抽象構文木の2つめの枝（tree[1]）に入っているので、次のようにすれば関数名に対応する関数定義を取り出すことができます。

```
1  mhd = genv[tree[1]]
```

これで、呼び出そうとしているのが組み込み関数なら、その定義である["builtin", 《本物のRubyにおける関数の名前》]という配列をmhdに取り出せたことになります。つまり、mhdの先頭が"builtin"なら、いま処理している抽象構文木は組み込み関数です。

evaluateに手を入れて、mhdの先頭（mhd[0]）を見て動作を変えるようにしておきましょう。

```
1  def evaluate(tree, genv, lenv)
2    case tree[0]
3    when "func_call"
4      args = []
5      i = 0
```

```
6      while tree[i + 2]
7        args[i] = evaluate(tree[i + 2], genv, lenv)
8        i = i + 1
9      end
10     mhd = genv[tree[1]]
11     if mhd[0] == "builtin"
12       # 埋める
13     else
14       # 埋める (次章)
15     end
16   ...(略)...
17   end
18 end
```

7.3.3 評価した引数に、指示されたRubyの関数を適用する

再び、ここまでやったことを整理しておきます。

1. 関数の環境を用意した
2. その環境に、組み込み関数を追加した（いまのところpのみ）
3. MinRubyプログラムで組み込み関数が使われていると、抽象構文木は["func_call", 関数名, 1つめの引数, 2つめの引数...]のような形になるので、"func_call"というラベルに対する処理をevaluateに追加した
4. evaluateでは、まず引数を順番に評価して、それをargsという配列に入れた
5. 関数の定義を、関数の環境から取り出してきて、それをmhdに入れた

MinRubyプログラムで呼び出されたのが組み込み関数なら、mhd[1]には、その組み込み関数の動作を丸投げすべき「本物のRubyの関数」の名前が入っています。MinRubyの組み込み関数を処理するには、そこで指示されている本物のRubyの関数を、引数にargsを与える形で呼び出す必要があります。

そのために必要な道具は、minrubyパッケージの中にminruby_callという組み込み関数を用意しておきました（ちょっとずるいですね）。この関数を、たとえば次のように本物のRubyで呼び出すと、

```
1 minruby_call("add", [1, 2])
```

次のように本物のRubyで呼び出したのと同じ動きをします。

```
1 add(1, 2)
```

この関数を使えば、MinRubyの組み込み関数の呼び出しは以下のように実装できます。

```
def evaluate(tree, genv, lenv)
  case tree[0]
  when "func_call"
    args = []
    i = 0
    while tree[i + 2]
      args[i] = evaluate(tree[i + 2], genv, lenv)
      i = i + 1
    end
    mhd = genv[tree[1]]
    if mhd[0] == "builtin"
      minruby_call(mhd[1], args)
    else
      # 埋める (次章)
    end
  ...(略)...
  end
end
```

これで組み込み関数の仮実装をきちんと実装し直す作業は終わりです。いままでどおりにMinRubyプログラムでpが呼べることを確認しておきましょう。次のプログラムをMinRubyインタプリタで実行してみてください。

```
p(42) #=> 42
```

これまでの仮実装ではpの引数を1個に限定してしまっていましたが、この章の改修でpには複数の引数を渡せるようになっているはずですから、それも試してみましょう。

```
p(1, 2, 3)
  #=> 1
  #   2
  #   3
```

それぞれの値が行区切りで出力されたでしょうか？ ぜひMinRubyインタプリタで確認してみてください。

▶図7.5　pには引数を2つ渡してもよい

7.4 まとめ

この章では、関数の実装の第一弾として、組み込み関数の呼び出しを実装しました。具体的には、関数の環境をサポートし、組み込み関数（引数が1つとは限らない）の抽象構文木を評価できるようにevaluateを拡張しました。

現状のMinRubyインタプリタのコードは次のようになっています[†1]。

```
require "minruby"

def evaluate(tree, genv, lenv)
  case tree[0]
  when "lit"
    tree[1]
  when "+"
    evaluate(tree[1], genv, lenv) + evaluate(tree[2], genv, lenv)
  when "-"
    evaluate(tree[1], genv, lenv) - evaluate(tree[2], genv, lenv)
  when "*"
    evaluate(tree[1], genv, lenv) * evaluate(tree[2], genv, lenv)
  when "/"
    evaluate(tree[1], genv, lenv) / evaluate(tree[2], genv, lenv)
  when "stmts"
    i = 1
    last = nil
    while tree[i]
      last = evaluate(tree[i], genv, lenv)
```

†1　比較式の実装は含まれていません。第4章の練習問題（59ページ）または9.3.4節を参照してください。

```
20          i = i + 1
21        end
22        last
23      when "var_assign"
24        lenv[tree[1]] = evaluate(tree[2], genv, lenv)
25      when "var_ref"
26        lenv[tree[1]]
27      when "if"
28        if evaluate(tree[1], genv, lenv)
29          evaluate(tree[2], genv, lenv)
30        else
31          evaluate(tree[3], genv, lenv)
32        end
33      when "while"
34        while evaluate(tree[1], genv, lenv)
35          evaluate(tree[2], genv, lenv)
36        end
37      when "func_call"
38        args = []
39        i = 0
40        while tree[i + 2]
41          args[i] = evaluate(tree[i + 2], genv, lenv)
42          i = i + 1
43        end
44        mhd = genv[tree[1]]
45        if mhd[0] == "builtin"
46          minruby_call(mhd[1], args)
47        else
48          # 埋める（次章）
49        end
50      end
51    end
52
53    # ① プログラムの文字列を読み込む
54    str = minruby_load()
55
56    # ② プログラムの文字列を抽象構文木に変換する
57    tree = minruby_parse(str)
58
59    # ③ 抽象構文木を実行（計算）する
60    genv = { "p" => ["builtin", "p"] }
61    lenv = {}
62    evaluate(tree, genv, lenv)
```

次章では、これにユーザ定義関数の実装をします。上記のコードで「埋める（次章)」というコメントの部分を実装していきます。

7.5 練習問題

7.5.1 独自の組み込み関数の追加

MinRubyの組み込み関数pを定義するのに、Rubyの組み込み関数pをそのまま使いました。しかし、Rubyのユーザ定義関数をMinRubyの組み込み関数にすることもできます。たとえば、MinRubyインタプリタのソースコードを

```
def evaluate(tree, genv, lenv)
  ...(略)...
end

def add(x, y)
  x + y
end

genv = { "add" => ["builtin", "add"] }
lenv = {}
evaluate(tree, genv, lenv)
```

とすれば、次のようなプログラムを動かせるようになるはずです。

```
p(add(1, 2)) #=> 3
```

FizzBuzzを組み込み関数として用意してみてください。また、独自の面白い組み込み関数を考えてみてください。

第8章

関数を定義できるようにする

by Ruby by Ruby by Ruby by Ruby by Ruby by Ruby by Ruby by Ruby by Ruby by

前章では、関数のうち、MinRubyインタプリタに最初から機能として用意しておく「組み込み関数」を実装しました。最初に関数の環境を作り、そこにpなどの基本的な関数の定義を組み込んで、それをMinRubyプログラムから呼び出せるようにしました。

この章では、まずMinRubyプログラムの中で関数を定義できるようにしてから、その関数を同じプログラムで実行できるようにします。インタプリタを開発する人だけでなく、インタプリタを使う側の人が関数を定義できるようにしようというわけです。

インタプリタを使う側の人が定義する関数のことを、「ユーザ定義関数」といいます。難しそうに聞こえるかもしれませんが、ようするに、これまでdef文を使って定義してきた関数が「ユーザ定義関数」です。したがって本章の課題は、MinRubyインタプリタにdef文を実装することだといえます。

▶ 図8.1　MinRubyインタプリタにdef文を実装する

def文を使った関数の定義をサポートするためには、def文の抽象構文木に対応する処理をevaluateに追加しなければなりません。具体的には、関数の環境genvに新しく関数を登録する必要があります。

それから、そのようにして定義された関数をプログラムの中で使えるようにする必要があります。これには、環境genvから、関数の定義を呼び出してこなければなりません。

関数の環境genvから関数の定義を呼び出す部分は、組み込み関数のときと同じでいいように思えるかもしれません。しかし、実は「引数」の扱いに、組み込み関数のときにはなかった注意が必要です。その注意を理解するために、まずは「引数」の区別について話をしておきましょう。

8.1　仮引数と実引数

プログラミング言語で関数の引数について考えるときには、**仮引数**と**実引数**という区別をします。

仮引数というのは、関数定義に出てくる引数のことです。つまり、def add(x, y)のxやyです。

一方、実引数というのは、関数呼び出し側で引数の場所に書くものを指します。つまり、add(10, 30 + 2)の10や30 + 2のことです（この例のように、実引数は値のこともあれば、評価前の式のこともあります）。

このように区別はしますが、引数というものが2種類あるわけではありません。「呼び出される側」の呼び方が仮引数、「呼び出す側」の呼び方が実引数というだけの違いです。

ただし、いまのようにインタプリタを実装しているときは、仮引数と実引数を区別しておかないとユーザ定義関数の実装で混乱してしまいます。「呼び出される側」と「呼び出す側」のどちらの立場で引数について考えているのかを区別するために、それぞれ言葉だけ覚えておいてください。

8.2　関数定義を実装する

それでは実装に入りましょう。まずは関数定義、つまりdef文を実装していきます。

いつものように、まずは抽象構文木を見てみます。例として下記のような関数定義を考えましょう。

```
1  def add(x, y)
2    x + y
3  end
```

このdef文の抽象構文木は次のようになっています。

```
["func_def",
  "add",
  ["x", "y"],
  ["+", ["var_ref", "x"], ["var_ref", "y"]]]
```

絵にするとこうです。

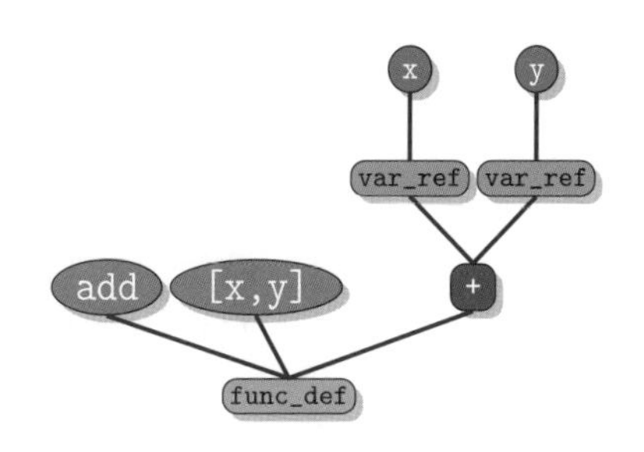

▶ 図8.2 ユーザ定義関数の抽象構文木

これを見る限り、抽象構文木そのものはそれほど複雑ではありませんね。`["func_def", 関数名, 仮引数名の配列, 関数本体]`という構造になっていることが見て取れると思います。

問題は、この抽象構文木を`evaluate`でどのように扱うかです。MinRubyインタプリタの利用者が`def`文でやりたいことは新しい関数の定義なので、この抽象構文木の「関数名」に対応するエントリを環境`genv`に追加する必要があります。

```
1 def evaluate(tree, genv, lenv)
2   case tree[0]
3   when "func_def"
4     genv[tree[1]] = ["user_defined", tree[2], tree[3]]
5   ...(略)...
6   end
7 end
```

抽象構文木`tree`は、先ほど確認したように`["func_def", 関数名, 仮引数名の配列, 関数本体]`です。したがって、ここでハッシュ`genv`に追加しているのは次のような対応です。

```
1 関数名 => ["user_defined", 仮引数名の配列, 関数本体]
```

あとでMinRubyプログラムの中でこの関数が呼び出されたときに、組み込み関数ではなくユーザ定義関数として扱いたいので、組み込み関数の関数定義を表す`"builtin"`と区別するための印として`"user_defined"`という文字列を使うことにしました。

関数定義そのものは、"user_defined"に続けて「仮引数名の配列」と「関数本体」を並べるだけでおしまいです。新しい関数を定義しても、その場で関数の中身が実行されるわけではありませんよね。関数定義というのは、あくまでも「関数の定義」であり、「この関数はこういうことをするものとして覚えておけ」とインタプリタに命令するだけです。そのため、このように素直に関数定義を覚えておくだけで十分なのです。

▶図8.3　「仮引数名の配列」と「関数本体」を並べて、インタプリタに覚えておけというだけ

8.3 ユーザ定義関数の呼び出し

次は、ユーザ定義関数を関数の環境から呼び出して実行する部分を実装します。現状のMinRubyインタプリタはこんなふうになっているはずです。

```
def evaluate(tree, genv, lenv)
  case tree[0]
  when "func_def"
    genv[tree[1]] = ["user_defined", tree[2], tree[3]]
  when "func_call"
    args = []
    i = 0
    while tree[i + 2]
      args[i] = evaluate(tree[i + 2], genv, lenv)
      i = i + 1
    end
    mhd = genv[tree[1]]
    if mhd[0] == "builtin"
      minruby_call(mhd[1], args)
    else
      # 埋める (ユーザ定義関数の呼び出しの実装)
```

```
17        end
18      ...(略)...
19      end
20    end
```

MinRubyプログラムの中で関数が呼び出されていて、しかもそれがユーザ定義関数だったら、mhdには["user_defined", 仮引数名の配列, 関数本体]という配列が入っています（そういう配列がgenvに登録されるように、前節で"func_def"の場合の処理を実装したのでしたね）。

いまやりたいのは、この配列の最後の要素である「関数本体」を評価することです。ここで、「関数本体」のようすを思い出しておきましょう。関数定義が次のような内容だったら、

```
1 def add(x, y)
2   x + y
3 end
```

抽象構文木は次のようになっています。

```
["func_def",
  "add",
  ["x", "y"],
  ["+", ["var_ref", "x"], ["var_ref", "y"]]]
```

この木の最後の葉が「関数本体」でした。

```
1 ["+", ["var_ref", "x"], ["var_ref", "y"]]
```

いまは、このような関数本体を、MinRubyプログラムで関数が呼び出されるときに指定されていた引数、つまり実引数を使って評価したいわけです。

実引数は、前章で組み込み関数を実装したときに、whileを使って配列argsに集めるようにしてあります。実引数は、関数本体のどこで使えばいいでしょうか？ 言うまでもありませんね。関数を定義したときに使った引数、つまり**仮引数**が出てくる箇所で、対応する実引数が使われるようにする必要があります。

言い換えると、いまやるべきことは「仮引数のそれぞれに、対応する実引数を覚えさせた状態で、関数本体を評価する」です。何かを**覚えさせる**ということは、**変数**の出番です。現在、仮引数名の配列はmhd[1]に、実引数の配列はargsに入っているので、それぞれの対応を順番に変数の環境lenvへと入れていきます。

```
1 params = mhd[1]
2 i = 0
3 while params[i]
```

```
4      lenv[params[i]] = args[i]
5      i = i + 1
6    end
```

この状態で関数本体を評価すれば、仮引数の箇所で実引数が使われます。関数本体はmhd[2]に入っているので、次のようにすればいいでしょう。

```
1  evaluate(mhd[2], genv, lenv)
```

これでようやく、ユーザ定義関数の出来上がりです。まとめて書くと以下のようになります。

```
1  def evaluate(tree, genv, lenv)
2    case tree[0]
3    when "func_call"
4      args = []
5      i = 0
6      while tree[2][i]
7        args[i] = evaluate(tree[2][i], genv, lenv)
8        i = i + 1
9      end
10     mhd = genv[tree[1]]
11     if mhd[0] == "builtin"
12       minruby_call(mhd[1], args)
13     else
14       params = mhd[1]
15       i = 0
16       while params[i]
17         lenv[params[i]] = args[i]
18         i = i + 1
19       end
20       evaluate(mhd[2], genv, lenv)
21     end
22   ...(略)...
23   end
24 end
```

さっそく動作確認してみましょう。次のようなプログラムを用意してください。

```
1  def add(x, y)
2    x + y
3  end
4
5  p(add(1, 1))
```

これをprogram1.rbのような名前でファイルに保存し、おそるおそる完成したMinRubyインタプリタで実行してみてください。

```
C:¥Ruby > ruby interp.rb program1.rb ⏎
2
```

こんなふうに2が出たら成功です！

8.4 変数のスコープ

実は、現状のMinRubyにおける関数の実装は、本物のRubyの関数とは少し意味が違っています。

少しややこしいのですが、変数は関数ごとに定義されます。たとえば次のRubyプログラムでは、xという名前の変数が関数fooの定義の中と外でそれぞれ使われていますが、これらは本物のRubyでは別々の変数です。

```
1  def foo()
2    x = 0
3    p(x)
4  end
5
6  x = 1
7  foo() #=> 0
8  p(x)  #=> 1
```

プログラムとしては、まず関数fooを定義し、その外側にあるxに1を代入して、それから関数fooを呼び出します。呼び出された関数fooでは、xに0が代入され、直後にそれを出力します。

本物のRubyでは、0を代入する「foo内のx」と、「foo外のx」とが、まったくの別変数です。したがって、最初に1を代入した「foo外のx」には、foo内でxに0を代入しても影響がありません。関数fooの呼び出しから帰ってきたあとで出力されるのは、「foo外のx」です。これは最初に代入したとおり、1となります。

一方、現状のMinRubyインタプリタで上記と同じプログラムを実行すると、0が2回出力されてしまうことでしょう（ぜひ確かめてみてください）。

原因は、関数fooの中の代入x = 0で、関数の外側の変数xが書き換えられてしまっていることです。MinRubyインタプリタでは、いまのところ、関数の中のxと外のxが同じ変数として扱われてしまっているのです。変数が参照できる範囲のことを**変数のスコープ**といいますが、現状のMinRubyでは変数のスコープが関数定義の中で分かれていないのです。

ではどうすればよいかというと、関数定義の中と外で変数の環境を変えればいいのです。そのためには、関数の中のための、変数の環境を新たに用意します。

```
1  def evaluate(tree)
2    case tree[0]
3    when "func_call"
4      args = []
5      i = 0
6      while tree[2][i]
7        args[i] = evaluate(tree[2][i], genv, lenv)
8        i = i + 1
```

```
 9         end
10         mhd = genv[tree[1]]
11         if mhd[0] == "builtin"
12           minruby_call(mhd[1], args)
13         else
14           new_lenv = {}                          # 挿入
15           params = mhd[1]
16           i = 0
17           while params[i]
18             new_lenv[params[i]] = args[i]    # lenv を new_lenv に変更
19             i = i + 1
20           end
21           evaluate(mhd[2], genv, new_lenv)  # lenv を new_lenv に変更
22         end
23       ...(略)...
24     end
25   end
```

いままでの実装では、関数呼び出しの文脈における変数の環境`lenv`を、そのまま`evaluate`に渡していました。これを上記では変更して、`new_lenv`という新しい環境を作ってから、それに仮引数をセットしたうえで`evaluate`に渡すようにしています。

こうすることで、関数の外の環境は`lenv`、関数の中の環境は`new_lenv`というように環境を分けることができます。変数のスコープを区別することは、インタプリタの実装の観点から言えば、関数を呼び出すたびに新しい環境を作って渡すという意味にほかなりません。

なお、関数の環境はどの関数の中でも共通です。MinRubyの実装では関数の環境を`genv`と名付けましたが、先頭の**g**はglobal（大域的）の**g**（つまりどこでも共通）を表しています。一方、変数の環境`lenv`の先頭の**l**は、local（局所的）の**l**（つまり関数という局所ごとで異なる）を表しています。

▶図8.4　スコープが違えば、別の変数

8.5 まとめ

ついに関数の定義と呼び出しをひととおり実装できました。

本書の最終目標は、自分で作ったMinRubyインタプリタを使って、自分で作ったMinRubyインタプリタを動かすこと（ブートストラップ）です。そのためには、MinRubyインタプリタで使っている言語機能をすべて実装する必要があります。まだ実装していないのは、残すところ配列とハッシュだけです。最後の章ではこれらを実装し、ブートストラップを実現します。

8.6 練習問題

8.6.1 フィボナッチ関数

次の数列を見てください。

0, 1, 1, 2, 3, 5, 8, 13, 21, 34, 55, 89, ...

これは、最初の2つが0と1で、それ以降は「直前2つの値の和」になっています（たとえば2は直前2つの1と1の和、3は1と2の和、5は2と3の和）。これを**フィボナッチ数列**といいます。

フィボナッチ数列のx番めを計算する次のような定義の関数を「フィボナッチ関数」といいます。

```
1  def fib(x)
2    if x <= 1
3      x
4    else
5      fib(x - 1) + fib(x - 2)
6    end
7  end
```

MinRubyインタプリタでフィボナッチ関数を動かしてみてください。

フィボナッチ関数は、プログラミング言語処理系の実装のテストおよびベンチマークプログラムとして有名です。また、プログラミング言語の入門書においても再帰呼び出しの典型的な例題です。

ヒント：第4章の練習問題1（59ページ）で出てきた比較式の実装が必要です。

8.6.2 相互再帰

ある関数と別の関数がお互いを呼び出し合うことを、**相互再帰**といいます。たとえば、次の関数even?とodd?は相互再帰しています。

```
1  def even?(n)
2    if n == 0
3      true
4    else
```

```
5       odd?(n - 1)
6     end
7   end
8
9   def odd?(n)
10    if n == 0
11      false
12    else
13      even?(n - 1)
14    end
15  end
```

MinRubyインタプリタでeven?(2)やeven?(3)の結果を見てみてください。そして、これらの関数がどのように動いているかを考えてみてください。

NOTE

even?とodd?は、関数名の最後に?が付いていますが、この?は何か特殊な言語機能というわけではありません。実は、Rubyの関数名は?や!で終わることができます。したがって、even?やodd?は、それ全体で単なるふつうの関数名です。
Rubyでは、真偽を判定する関数には、?で終わる名前を付ける慣習があります。ここでもその慣習にならって、「偶数か否か」を判定する関数にはeven?、「奇数か否か」を判定する関数にはodd?という名前を付けました。
なお、何かしらの注意が必要な関数（たとえば、何かを破壊的に書き換える関数）には!を付けるという慣習があります。

第9章

インタプリタの完成、そしてブートストラップへ

by Ruby by Ruby by Ruby by Ruby by Ruby by Ruby by Ruby by Ruby by Ruby by

Rubyを学びながらRubyインタプリタを作ってきましたが、この章でいよいよゴールを迎えます。自分だけのRubyインタプリタを完成させていきましょう。

しかし、それで終わりではありません。もう一歩、考察を進めてみましょう。

MinRubyインタプリタを作るのに使っているRubyの機能は、四則演算、変数、分岐、関数、配列、ハッシュだけです。そして、この章で、これらがすべてMinRubyインタプリタの機能になります。つまり、**「MinRubyインタプリタの実装で使われているすべての言語機能」をMinRubyインタプリタに実装できた**ことになります。

ということは、自分で書いたMinRubyインタプリタで、自分で書いたMinRubyインタプリタを動かせるということです。これが、本書のもう1つの最終目標、**ブートストラップ**です。

▶ 図9.1　ブートストラップへの道

それでは、MinRubyインタプリタのブートストラップを目指して、まずは配列を実

装していきましょう。

9.1 配列を実装する

変数の実装でも関数の実装でも、作る側（変数代入・関数定義）と使う側（変数参照・関数呼び出し）のコードをそれぞれ書く必要がありました。配列でも、同様に、「配列を作る」処理と「配列を使う」処理を書く必要があります。

Rubyで**配列を作る**ときの方法として、3.1節では、`[x, y, z]`のような記法を学びました。ちなみに、データ構造を作るこのような記述のことを**構築子**と呼びます。

Rubyで**配列を使う**ときの方法には、2つのケースがありました。1つは**配列参照**（たとえば`ary[0]`）、もう1つは**配列代入**（たとえば`ary[0] = 42`）です。

ということは、配列を実装するには**配列構築子**、**配列参照**、**配列代入**の3つについて処理を書けばいいことになります。

9.1.1 配列構築子の実装

いつものように、まずは抽象構文木を眺めてみて、それを参考に実装すべき処理を考えましょう。次の配列を例として考えます。

```
1  [1, 2, 3, 6 * 7]
```

このような配列構築子がMinRubyプログラムに出てきたとき、その抽象構文木は次のような形になります（図9.2）。

```
["ary_new",
  ["lit", 1],
  ["lit", 2],
  ["lit", 3],
  ["*", ["lit", 6], ["lit", 7]]]
```

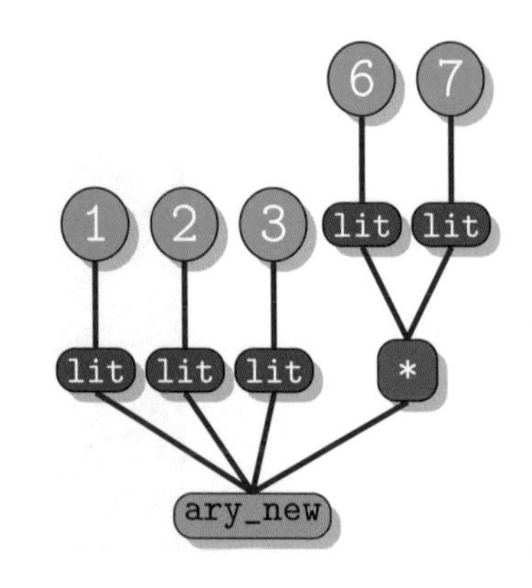

▶ 図9.2　配列構築子の抽象構文木

`"ary_new"`というラベルの後に、構築子の中に書かれた式が並んでいるのがわかります（「ary」は、配列を表す英語のarrayの省略です）。

MinRubyプログラムの抽象構文木に、このような枝が出てきたとき、それをどうやって処理すればいいでしょうか？　いろいろな方法が考えられますが、ここでは単純に、Rubyの配列を使うことにします。6.1節で`if`文を実装したときと同じように、MinRubyの機能を、Ruby言語の機能にそのまま丸投げするわけです。

実際のコードは次のようになります。

```
when "ary_new"
  ary = []
  i = 0
  while tree[i + 1]
    ary[i] = evaluate(tree[i + 1], genv, lenv)
    i = i + 1
  end
  ary
```

空のRuby配列を作り、MinRubyの配列構築子の中に書かれた式を`evaluate`した結果を順番に入れています。これをMinRubyインタプリタの`evaluate`関数に追記すれば、MinRubyの配列の出来上がりです。

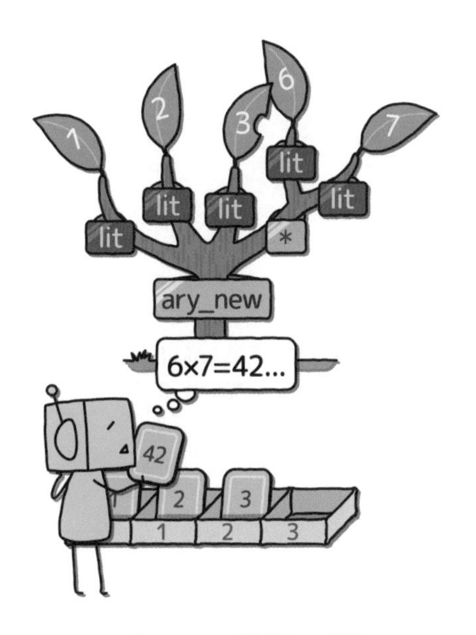

▶ 図9.3 配列構築子の実装

9.1.2 配列参照の実装

次は配列参照です。次の例で考えましょう。

```
ary = [1]
ary[0]
```

このMinRubyコードの抽象構文木は、こんなふうになっています（図9.4）。

```
["stmts",
  ["var_assign", "ary", ["ary_new", ["lit", 1]]],
  ["ary_ref", ["var_ref", "ary"], ["lit", 0]]]
```

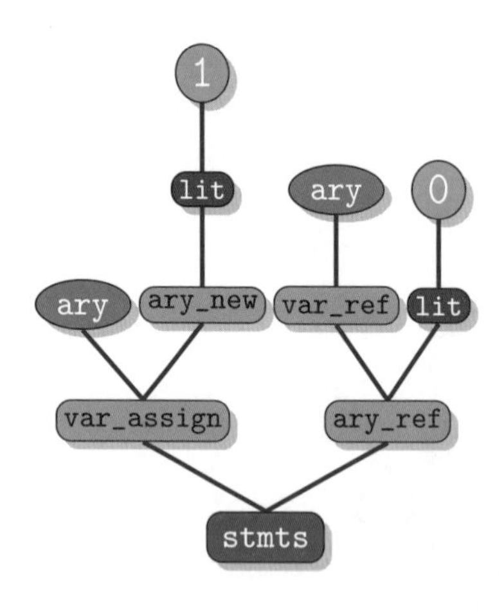

▶ 図9.4　配列参照の抽象構文木

複数の式の抽象構文木なので、全体は"stmts"です。その中の1つめの式（"var_assign"で始まるほう）は、代入を表しています。"ary"という変数に、先ほど実装した配列構築子（"ary_new"）の枝を代入しているのがわかりますね。

2つめの式（絵で右側にあるほう）が、これから実装したい**配列参照**の抽象構文木です。ちょっと見づらいですが、["ary_ref", 配列を表す式, インデックスを表す式]という形をしています。（インデックスというのは、「配列のN番め」というときのNのことで、ary[0]だったら0がインデックスです。）

配列参照の抽象構文木が出てきたときにMinRubyにやってほしいことは、「**配列を表す式**が表す配列」から、「**インデックスを表す式**が表すインデックス」番めにある値を取ってくることです。

そこで、まず配列を表す式（ary[0]で言えばaryの部分）をevaluateし、「**配列を表す式**が表す配列」を手に入れます。次に、インデックスを表す式（ary[0]で言えば0の部分）をevaluateして、「**インデックスを表す式**が表すインデックス」を手に入れます。ユーザのプログラムにもインタプリタにもバグがなければ、前者はRuby言語の配列に、後者はRuby言語の数になるはずです。あとは、Ruby言語レベルで配列参照すれば実装完了です。

```
1  when "ary_ref"
2    ary = evaluate(tree[1], genv, lenv)
3    idx = evaluate(tree[2], genv, lenv)
4    ary[idx]
```

配列構築子と配列参照が実装できたところで、いったんテストができます。次のプログラムを実行してみましょう。

```
1  ary = [1, 2, 3]
2  p(ary[0]) #=> 1
3  p(ary[1]) #=> 2
4  p(ary[2]) #=> 3
```

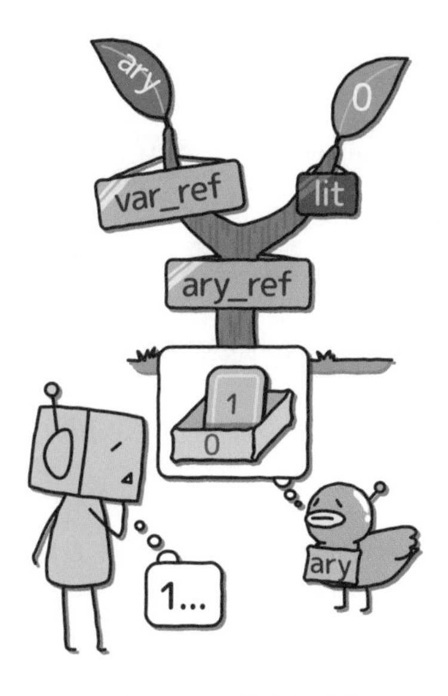

▶ 図9.5 配列参照の実装

9.1.3 配列代入の実装

最後は配列代入です。次のようなコードがMinRubyプログラムに出てきた場合を考えます。

```
1  ary = [1]
2  ary[0] = 42
```

このコードは次のような抽象構文木になります（図9.6）。

```
["stmts",
  ["var_assign", "ary", ["ary_new", ["lit", 1]]],
  ["ary_assign", ["var_ref", "ary"], ["lit", 0], ["lit", 42]]]
```

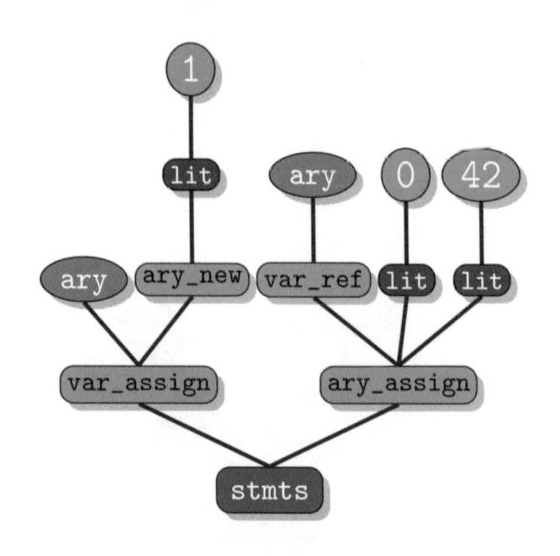

▶図9.6　配列代入の抽象構文木

やはり複数の式で、注目すべき部分は2つめの式、**["ary_assign", 配列を表す式, インデックスを表す式, 代入したい値の式]**という構文になっているほうです(絵でいえば右側)。

この配列代入の抽象構文木の評価も、先ほど実装した配列参照のときとほとんど同じです。3つの式を順次`evaluate`し、Ruby言語レベルで配列代入をして終わりです。

```
1  when "ary_assign"
2    ary = evaluate(tree[1], genv, lenv)
3    idx = evaluate(tree[2], genv, lenv)
4    val = evaluate(tree[3], genv, lenv)
5    ary[idx] = val
```

これを`evaluate`に組み込めば、配列をひととおり実装できたことになります。次のようなコードを実行して動作を試してみてください。

```
1  ary = [1, 2, 3]
2  ary[0] = 42
3  p(ary[0]) #=> 42
4  p(ary[1]) #=> 2
5  p(ary[2]) #=> 3
```

9.2 ハッシュを実装する

ハッシュの実装でも、配列の場合と同様に、ハッシュ構築子とハッシュ参照とハッシュ代入の実装が必要です。まずはハッシュ構築子の抽象構文木を見てみましょう。

▶ 図 9.7　配列代入の実装

次のようなコードを例に考えます。

```
1  { 1 => 10, 2 => 20, 3 => 30 }
```

このMinRubyコードの抽象構文木はこうなります。

```
["hash_new",
  ["lit", 1], ["lit", 10],
  ["lit", 2], ["lit", 20],
  ["lit", 3], ["lit", 30]]
```

`"hash_new"`というマーカーに続けて、ハッシュの中に並んでいる式を順番に並べた構造になっていますね。

ハッシュも、配列と同様に、Ruby言語のハッシュの機能にそのまま丸投げする実装にしましょう。抽象構文木に出てくる式を順番に`evaluate`してRuby言語のハッシュに入れていきます。

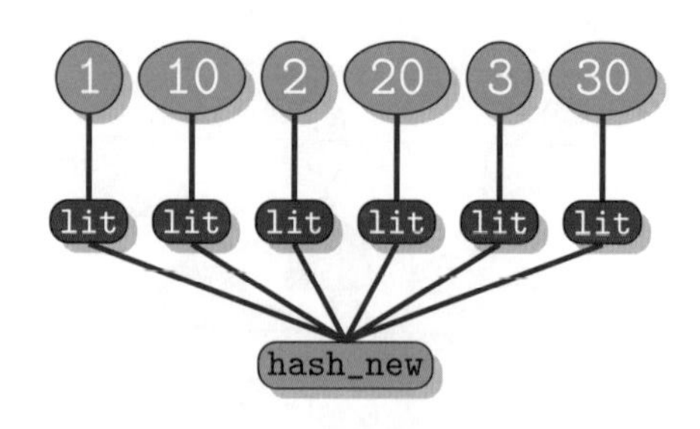

▶図9.8 ハッシュ構築子の抽象構文木

```
when "hash_new"
  hsh = {}
  i = 0
  while tree[i + 1]
    key = evaluate(tree[i + 1], genv, lenv)
    val = evaluate(tree[i + 2], genv, lenv)
    hsh[key] = val
    i = i + 2
  end
  hsh
```

残るはハッシュ参照とハッシュ代入の実装です。が、実はRubyでは、配列参照とハッシュ参照、配列代入とハッシュ代入は、それぞれ完全に同じ構文をしています。そのため、構文解析はこれらの構文を区別することができません。よって、ハッシュ参照とハッシュ代入であっても、それぞれ"ary_ref"と"ary_assign"の節を持つ抽象構文木を返します。そして、"ary_ref"と"ary_assign"の節に対する現在の実装は、幸いなことにハッシュに対しても完全に正しく動作します。つまり、ハッシュのためにこれ以上何かを実装する必要はありません。

ということで、以上でMinRubyインタプリタの機能がすべて実装できたことになります！

9.3 ブートストラップ

いよいよ、最終目標であった**ブートストラップ**に挑戦です。

ブートストラップという用語は、"pull yourself up by your bootstraps"（ブートストラップを引っ張って自分自身を持ち上げる）という英語の慣用句に由来します。

bootstrapという英単語を見ると「ブーツの靴ひも」のことに思えるかもしれませんが、これは靴ひもの意味ではありません。ブーツのかかとの上にある、ブーツを履くときに引っ張り上げる取っ手です（図9.9参照）。先の慣用句は「ブーツの取っ手を引っ張って自分自身を持ち上げる」という意味で、もともとは「不可能なこと」のたとえでした。しかし、いまでは「（他人の助けを借りずに）自力で成長する」という意味が一般的なようです。

この慣用句にちなんで、プログラミング言語の分野では、「言語Xの処理系を言語Xで書いて動かすこと」を俗にブートストラップと言っています。

▶図9.9 ブートストラップ

9.3.1 ブートストラップの動かし方

ブートストラップについて考える前に、MinRubyインタプリタでふつうのプログラムを実行するときのことを思い出してみましょう。**あるプログラムをMinRubyインタプリタで動かす**には、そのプログラムが`prog.rb`というファイルに保存されているとして、次のように実行すればいいのでした（MinRubyインタプリタは`interp.rb`という名前のファイルに保存しているとします）。

```
C:¥Ruby > ruby interp.rb prog.rb ↵
```

これで何をしているかというと、こういう状況になっています。

1. RubyでMinRubyインタプリタを実行し（`ruby interp.rb ...`）
2. そのMinRubyインタプリタでプログラムを動かす（`... prog.rb`）

いまやりたいのはブートストラップ、つまり**MinRubyインタプリタでMinRubyインタプリタを動かす**ことなので、この例のプログラム（`prog.rb`）をMinRubyインタプリタ（interp.rb）に置き換えればよさそうです。

```
C:¥Ruby > ruby interp.rb interp.rb ↵
```

とはいえ、インタプリタを動かすには、そのインタプリタで動かすべきプログラムも一緒に与えないと意味がありません。そこで、次のようなシナリオを考えましょう。

1. RubyでMinRubyインタプリタを実行し
2. そのMinRubyインタプリタ（親）でMinRubyインタプリタ（子）を動かし
3. そのMinRubyインタプリタ（子）はプログラムを動かす

これで、次のようにすればブートストラップができそうです。

```
C:¥Ruby > ruby interp.rb interp.rb prog.rb ↵
```

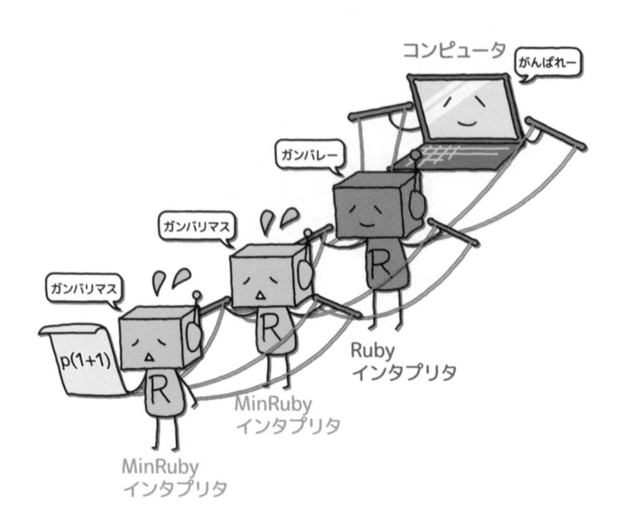

▶ 図9.10　MinRubyインタプリタのブートストラップ

9.3.2 実行するFizzBuzzプログラムの準備

具体的なプログラムで実際にブートストラップできるかやってみましょう。題材として、第2章の練習問題（25ページ）で作成した**FizzBuzzプログラム**を取り上げます。FizzBuzzプログラムは、こんなことをするプログラムでしたね。

- 1から100までの数を順番に出力する
- ただし、3で割り切れる数の場合は数の代わりに“Fizz”を出力し

- 5で割り切れる数の場合は数の代わりに“Buzz”を出力し
- 3でも5でも割り切れる数の場合は“FizzBuzz”を出力する

FizzBuzzプログラムをRubyで書くとこうなります。

```
1  i = 1
2  while i <= 100
3    if i % 3 == 0
4      if i % 5 == 0
5        p("FizzBuzz")
6      else
7        p("Fizz")
8      end
9    else
10     if i % 5 == 0
11       p("Buzz")
12     else
13       p(i)
14     end
15   end
16   i = i + 1
17 end
```

これを`fizzbuzz.rb`というファイルに保存して次のように実行すればよさそうです。

```
C:¥Ruby > ruby interp.rb interp.rb fizzbuzz.rb ↵
```

ただ、現状のままでは、まだこのコマンドは動きません。もう少しだけ準備が必要です。

9.3.3 組み込み関数の準備

なぜ現状でブートストラップできないか、それは、まだMinRubyインタプリタに**必要な組み込み関数が足りない**からです。もっと言えば、MinRubyインタプリタに**実装済みの組み込み関数**は`p`しかありません。しかし、実際に利用している組み込み関数は、`p`だけではありません。MinRubyインタプリタが**使っている組み込み関数**をすべて列挙するとこうなります。

- `p`
- `require`
- `minruby_parse`
- `minruby_load`
- `minruby_call`

これらの関数は、いつものように、Ruby言語本体に実装されている同名の関数に丸投げすることにします。やりかたは`p`と同様、`genv`に対応を覚えさせておくだけです。

```
genv = {
  "p" => ["builtin", "p"],
  "require" => ["builtin", "require"],
  "minruby_parse" => ["builtin", "minruby_parse"],
  "minruby_load" => ["builtin", "minruby_load"],
  "minruby_call" => ["builtin", "minruby_call"],
}
```

関数呼び出しのかっこの省略

いま、しれっとrequireを**組み込み関数**に含めました。実は、そうなんです。requireは特別な命令でもなんでもなく、ライブラリのソースコードを読み込んで実行する組み込み関数なのです。

でも関数ということは()が必要なはずですよね。しかし、実はRubyでは、この関数呼び出しのかっこを省略できるのです。つまり、

```
require "minruby"
```

と書いていたrequireですが、これはRubyでは

```
require("minruby")
```

の**糖衣構文**（86ページ）なのです。

ほかにも、たとえばデバッグ出力のpや無引数の関数ではかっこを書かないことのほうが多いです。

```
p 42
```

かっこを省略して読みやすくなることも多々ありますが、むやみに省略するとかえって読みにくくなったり、想定と異なる抽象構文木になって思わぬ挙動になってしまったりするので、節度をもって利用してください。

9.3.4 比較式と剰余演算の準備

もう1つ、現状のMinRubyインタプリタをブートストラップするために足りない機能として、比較式があります。MinRubyインタプリタのソースコードには`mhd[0] == "builtin"`という比較式が入っているので、これをサポートしておく必要があるのです。

ついでに、プログラムの題材であるFizzBuzzプログラムをふつうに実行するうえで必要になるので、他の比較式と剰余演算（%）も入れておきます。

```
1    when "%"
2      evaluate(tree[1], genv, lenv) % evaluate(tree[2], genv, lenv)
3    when "<"
4      evaluate(tree[1], genv, lenv) < evaluate(tree[2], genv, lenv)
5    when "<="
6      evaluate(tree[1], genv, lenv) <= evaluate(tree[2], genv, lenv)
7    when "=="
8      evaluate(tree[1], genv, lenv) == evaluate(tree[2], genv, lenv)
9    when "!="
10     evaluate(tree[1], genv, lenv) != evaluate(tree[2], genv, lenv)
11   when ">="
12     evaluate(tree[1], genv, lenv) >= evaluate(tree[2], genv, lenv)
13   when ">"
14     evaluate(tree[1], genv, lenv) > evaluate(tree[2], genv, lenv)
```

これらを`evaluate`に追加するだけです。(実は、いずれも第4章の練習問題(59ページ)で登場しているのですが、これまで`interp.rb`のソースでは省略していました。)

9.3.5 ブートストラップしてみる

問題のコマンドを実行してみましょう。

```
C:¥ Ruby > ruby interp.rb interp.rb fizzbuzz.rb ↵
```

FizzBuzzが出力されれば、ブートストラップ大成功です。つまり、「`fizzbuzz.rb`を実行するMinRubyインタプリタプログラム」をMinRubyインタプリタで実行することができました。

これに成功したら、次は、「『`fizzbuzz.rb`を実行するMinRubyインタプリタプログラム』を実行するMinRubyインタプリタプログラム」をMinRubyインタプリタで実行しましょう。

分解して言うと、

1. RubyでMinRubyインタプリタを動かし、
2. MinRubyインタプリタ(親)でMinRubyインタプリタ(子)を動かし、
3. そのMinRubyインタプリタ(子)でMinRubyインタプリタ(孫)を動かし、
4. そのMinRubyインタプリタ(孫)はFizzBuzzプログラムを動かす

ということです。コマンドとしては次のようになります。

```
C:¥ Ruby > ruby interp.rb interp.rb interp.rb fizzbuzz.rb ↵
```

さらに段数を増やすこともできます。そのたびにMinRubyインタプリタが新たに実行されるので、動作がどんどん遅くなっていくことが確認できるはずです。

Rubyでスタックを増やす方法

もし段数を増やしすぎて、stack level too deep (SystemStackError)というエラーが出たら、Ruby本体が使っているスタックと呼ばれるメモリを使い尽くしてしまったということです。以下のように実行すれば、Ruby本体が使うスタック領域を増やすことができます（setはWindowsのコマンドプロンプトの場合のコマンドなので、環境に合わせて読み替えてください）。

```
C:¥ Ruby > set RUBY_THREAD_VM_STACK_SIZE=4000000 ↵
C:¥ Ruby > ruby interp.rb interp.rb interp.rb fizzbuzz.rb ↵
```

minruby_loadの細かい話

MinRubyインタプリタを次のようにブートストラップで起動するとき、

```
C:¥ Ruby > ruby interp.rb interp.rb fizzbuzz.rb ↵
                          (1)        (2)
```

MinRubyインタプリタ（親）は、まず実行すべきプログラムを読み込むために、minruby_loadを使います。それで読み込まれるのは、上記の下線(1)で示されるファイルinterp.rbです。このファイルはMinRubyインタプリタ（子）です。このファイルからMinRubyインタプリタ（子）を読み込んだら、それを抽象構文木にし、その抽象構文木をevaluateしていきます。

すると、そのうち、minruby_loadを"func_call"する節に遭遇します。その処理は、そのままMinRubyインタプリタ（親）のminruby_loadに丸投げされます。これは、MinRubyインタプリタ（親）から見れば、2回めのminruby_loadの呼び出しです。これによって読み込まれるのが、下線(2)で示されるファイルfizzbuzz.rbなら、MinRubyインタプリタ（子）がFizzBuzzプログラムを評価実行していけます。しかし、MinRubyインタプリタ（親）には、どうして2回めのminruby_load呼び出しの対象がfizzbuzz.rbであるとわかるのでしょうか？

実は、minruby_loadは呼び出されるたびに「次」のファイルを読み込むようになっています。つまり、たとえばexperiment5.rbというファイルで次のように2回呼ばれているとしたら、

```
1  p(minruby_load())
2  p(minruby_load())
```

次のようにRubyを実行することでfoo.txtとbar.txtの内容を順次読み込んで出力してくれるのです。

```
C:¥Ruby > ruby experiment5.rb foo.txt bar.txt ↵
"(foo.txt の内容)"
"(bar.txt の内容)"
```

そのため、MinRubyインタプリタ（親）の2回めのminruby_load呼び出しの対象は無事にfizzbuzz.rbになります。

ちなみに、requireもMinRubyインタプリタ（親）と（子）の両方に呼ばれます。しかし、requireは同じライブラリを複数回読み込もうとしても、2回め以降のrequireは何もしないことになっています。よって、MinRubyインタプリタ（子）がrequireを呼んでもブートストラップに悪影響が出ることはありません。

9.4 まとめ

ついに、本書の本当の目標であった「自作インタプリタのブートストラップ」に到達しました。おめでとうございます。最終的なMinRubyのソースコード（interp.rb）は次のとおりです。

```
require "minruby"

def evaluate(tree, genv, lenv)
  case tree[0]
  when "lit"
    tree[1]
  when "+"
    evaluate(tree[1], genv, lenv) + evaluate(tree[2], genv, lenv)
  when "-"
    evaluate(tree[1], genv, lenv) - evaluate(tree[2], genv, lenv)
  when "*"
    evaluate(tree[1], genv, lenv) * evaluate(tree[2], genv, lenv)
  when "/"
    evaluate(tree[1], genv, lenv) / evaluate(tree[2], genv, lenv)
  when "%"
    evaluate(tree[1], genv, lenv) % evaluate(tree[2], genv, lenv)
  when "<"
    evaluate(tree[1], genv, lenv) < evaluate(tree[2], genv, lenv)
  when "<="
    evaluate(tree[1], genv, lenv) <= evaluate(tree[2], genv, lenv)
  when "=="
    evaluate(tree[1], genv, lenv) == evaluate(tree[2], genv, lenv)
  when "!="
    evaluate(tree[1], genv, lenv) != evaluate(tree[2], genv, lenv)
  when ">="
    evaluate(tree[1], genv, lenv) >= evaluate(tree[2], genv, lenv)
  when ">"
    evaluate(tree[1], genv, lenv) > evaluate(tree[2], genv, lenv)
  when "stmts"
    i = 1
    last = nil
    while tree[i]
      last = evaluate(tree[i], genv, lenv)
      i = i + 1
```

```
35        end
36        last
37      when "var_assign"
38        lenv[tree[1]] = evaluate(tree[2], genv, lenv)
39      when "var_ref"
40        lenv[tree[1]]
41      when "if"
42        if evaluate(tree[1], genv, lenv)
43          evaluate(tree[2], genv, lenv)
44        else
45          evaluate(tree[3], genv, lenv)
46        end
47      when "while"
48        while evaluate(tree[1], genv, lenv)
49          evaluate(tree[2], genv, lenv)
50        end
51      when "func_def"
52        genv[tree[1]] = ["user_defined", tree[2], tree[3]]
53      when "func_call"
54        args = []
55        i = 0
56        while tree[i + 2]
57          args[i] = evaluate(tree[i + 2], genv, lenv)
58          i = i + 1
59        end
60        mhd = genv[tree[1]]
61        if mhd[0] == "builtin"
62          minruby_call(mhd[1], args)
63        else
64          new_lenv = {}
65          params = mhd[1]
66          i = 0
67          while params[i]
68            new_lenv[params[i]] = args[i]
69            i = i + 1
70          end
71          evaluate(mhd[2], genv, new_lenv)
72        end
73      when "ary_new"
74        ary = []
75        i = 0
76        while tree[i + 1]
77          ary[i] = evaluate(tree[i + 1], genv, lenv)
78          i = i + 1
79        end
80        ary
81      when "ary_ref"
82        ary = evaluate(tree[1], genv, lenv)
83        idx = evaluate(tree[2], genv, lenv)
84        ary[idx]
85      when "ary_assign"
86        ary = evaluate(tree[1], genv, lenv)
87        idx = evaluate(tree[2], genv, lenv)
88        val = evaluate(tree[3], genv, lenv)
89        ary[idx] = val
90      when "hash_new"
91        hsh = {}
92        i = 0
93        while tree[i + 1]
94          key = evaluate(tree[i + 1], genv, lenv)
95          val = evaluate(tree[i + 2], genv, lenv)
96          hsh[key] = val
```

```
97        i = i + 2
98      end
99      hsh
100   end
101 end
102
103 # ① プログラムの文字列を読み込む
104 str = minruby_load()
105
106 # ② プログラムの文字列を抽象構文木に変換する
107 tree = minruby_parse(str)
108
109 # ③ 抽象構文木を実行（計算）する
110 genv = {
111   "p" => ["builtin", "p"],
112   "require" => ["builtin", "require"],
113   "minruby_parse" => ["builtin", "minruby_parse"],
114   "minruby_load" => ["builtin", "minruby_load"],
115   "minruby_call" => ["builtin", "minruby_call"],
116 }
117 lenv = {}
118 evaluate(tree, genv, lenv)
```

付録：この本の先には？

この本では、Rubyインタプリタを題材として、Rubyプログラミングの概要を紹介してきました。プログラミング初心者の方でもわかるよう、説明内容を厳選して丁寧に説明したつもりです。しかしそのために、細かいことをいろいろ省略して説明してきています。さらにプログラミングを学んでいきたい人のために、次に読むべき文献やキーワードを紹介しておきます。

Rubyについて

本書はRuby言語について、インタプリタを作るのに必要最低限のことしか説明しませんでした。しかし本当のRubyには、プログラムを短くわかりやすく書けるようにするための言語機能が非常に豊富に含まれています。そんなRuby自体に興味を持った人は、『初めてのRuby』（Yugui著、オライリー・ジャパン）などの本を読むといいでしょう。

また、Rubyには、Ruby on RailsというWebアプリケーションフレームワークがあります。Webアプリの開発に興味があれば、こちらを調べていくといいでしょう。

構文解析について

この本の裏のテーマは、すでにRubyや他言語のプログラミングを知っている方に、「インタプリタの実装」というのはそんなに難しいものではない、ということを伝えることでした。なにしろ、ブートストラップできるインタプリタはほんの100行強で書けるのです。

しかしここまで短いのは、「構文解析」という面倒くさいステップを、筆者が用意した`minruby_parse`という出来合いの関数を使うことで回避したことによる面が大きいです。

インタプリタの開発に真剣に興味を持った人（特に、Rubyに限らず独自言語の開発をしてみたくなった人）は、自分で構文解析の関数を拡張していく必要があります。

構文解析には、LL法、LR法、LALR法、Parsing Expression Grammar（PEG）、など、非常に数多くの手法があります。また、それぞれの手法に対してライブラリやツールの実装が複数あります。有名なのはbisonというツールですが、これはC言語用です。Rubyでは、raccやtreetopというライブラリが比較的メジャーです。調べてみてください。

コンパイラについて

最後の最後にちゃぶ台をひっくり返すのですが、インタプリタでのブートストラップというのは、実用上はあまり意味がありません。

プログラミング言語の処理系には、実は大きく2種類の実装方法があります。1つは、本書で解説してきた、プログラムを解釈実行する「インタプリタ」です。もう1つは、プログラムを機械語（コンピュータが直接解釈できる言語、バイナリともいう）に翻訳する「コンパイラ」です。コンパイラが翻訳して生成したバイナリは、インタプリタを必要とせず、そのままコンピュータが実行してくれます。

インタプリタのブートストラップは、コンピュータの上で、機械語で書かれたRubyインタプリタを動かし、その上で（Min）Rubyで書かれたMinRubyインタプリタ（＝本書で作ってきたもの）を動かし、その上でMinRubyで書かれたMinRubyインタプリタを動かし……、その上でMinRubyで書かれたフィボナッチプログラムを動かす、というような形になります。つまり、どんなに段数を重ねても、機械語で書かれたRubyインタプリタが不要になることはありません。MinRubyインタプリタは、どんなに自分のブーツのつまみを引っ張っても自分を持ち上げることはできないということです。

コンパイラのブートストラップの場合、まず、コンピュータの上で機械語で書かれたRubyコンパイラを動かし、（Min）Rubyで書かれたMinRubyコンパイラを、バイナリ（機械語で書かれたMinRubyコンパイラ）に翻訳します。そうすることで、このバイナリは、もう機械語で書かれたRubyコンパイラを必要としません。あとはこのバイナリを使って、フィボナッチプログラムをバイナリにできます。そして、自分自身（MinRubyで書かれたMinRubyコンパイラ）を再度バイナリにしたりできます。つまりこの場合、MinRubyコンパイラは自分のブーツのつまみを引っ張って自分を持ち上げた（機械語で書かれたRubyコンパイラから離脱した）ということになるのです。

といっても、Rubyコンパイラはいまのところ（少なくとも実用レベルのものは）存在しませんし、もしあったとしても、機械語を出力するにはまず機械語を勉強するところから始めないといけないので、本書のような分量で説明するのは困難です。興味のある人は、コンパイラの教科書を探して読んでみてください。現代なら、LLVMの教科書から入るのがよいと思います。

索引

記号・数字

ル

レ

■ 著者紹介

遠藤侑介

Rubyの開発者（コミッタ）の一人。RubyやC言語で「ちょっと変わったプログラム」を作るのが趣味。著書に『あなたの知らない超絶技巧プログラミングの世界』(技術評論社)、訳書に『抽象によるソフトウェア設計』『型システム入門 プログラミング言語と型の理論』(ともにオーム社)。

技術書出版社の立ち上げに際して

コンピュータとネットワーク技術の普及は情報の流通を変え、出版社の役割にも再定義が求められています。誰もが技術情報を執筆して公開できる時代、自らが技術の当事者として技術書出版を問い直したいとの思いから、株式会社時雨堂をはじめとする数多くの技術者の方々の支援をうけてラムダノート株式会社を立ち上げました。当社の一冊一冊が、技術者の糧となれば幸いです。

鹿野桂一郎

Rubyでつくる Ruby
ゼロから学びなおすプログラミング言語入門

Printed in Japan ／ ISBN 978-4-908686-01-6 ／ © 遠藤侑介

2017 年 7 月 7 日　第 1 版第 2 刷 発行

著　者　遠藤侑介
発行者　鹿野桂一郎
編　集　高尾智絵
制　作　鹿野桂一郎
挿　絵　hirekoke
装　丁　hirekoke

印　刷　平河工業社
製　本　平河工業社

発　行　ラムダノート株式会社
lambdanote.com
所在地 東京都荒川区西日暮里 2-22-1
連絡先 info@lambdanote.com